〈김광순 소장 필사본 고소설 100선〉

강릉추월전

역주 백운용白雲龍

경상남도 영산에서 태어났으나 줄곧 대구에서 자랐다. 경북대학교 국어국문학과를 졸업하고 같은 대학교 대학원에서 고전문학을 전공하여 박사과정을 수료하였다. 현재 경북대학교 영남문화연구원 전임연구원으로 일하고 있으며, 경북대학교, 대구보건대학, 방송통신대학교 등에서 강의를 하고 있다. 경북의 여러 종가를 조사하여 이를 소개하는 책자를 제작하는 사업을 맡아 진행하고 있으며, 주로 영상자료 등 DVD를 제작하는 원고를 쓰고 있다. 최근에는 지역학의 범위를 축소하여 대구지역 문인학자들에 대한 관심을 갖고 이를 활용하거나 이해하는 방법을 모색하고 있다. 저서로는 『경북의 종가문화』, 『한국무형문화유산자원 ; 불천위제례』, 『경북의 유학과 선비정신』 (이상 공저) 등이 있고, 논문으로는 「〈강능추월전〉의 구조와 만남의 의미」, 「〈주생전〉의 비극적 성격 연구」, 「'사제담'의 구성과 의미 지향」, 「경북지역 민속놀이의 특징과 계승 방안」 등이 있다.

택민국학연구원 연구총서 17

〈김광순 소장 필사본 고소설 100선〉

강릉추월전

초판 인쇄 2014년 12월 23일
초판 발행 2014년 12월 31일

역주 백운용 ‖ **펴낸이** 박찬익 ‖ **편집장** 김려생 ‖ **책임편집** 김지은 · 김경수
펴낸곳 도서출판 **박이정** ‖ **주소** 서울시 동대문구 천호대로 16가길 4
전화 02) 922-1192~3 ‖ **팩스** 02) 928-4683 ‖ **홈페이지** www.pjbook.com
이메일 pijbook@naver.com ‖ **등록** 1991년 3월 12일 제1-1182호

ISBN 978-89-6292-754-2 (94810)
ISBN 978-89-6292-747-4 (셋트)

* 책값은 뒤표지에 있습니다.

택민국학연구원 연구총서 17

김광순 소장 필사본 고소설 100선

강릉추월전

백운용 역주

도서출판 박이정

간행사

21세기를 '문화 시대'라 한다. 문화와 관련된 정보와 지식이 고부가가치를 지니기 때문에, '문화 시대'라는 말을 과장이라 할 수 없다. 이러한 '문화 시대'에서 빈번히 들을 수 있는 용어가 '문화산업'이다. 문화산업이란 문화 생산물이나 서비스를 상품으로 만드는 산업 형태를 가리키는데, 문화가 산업 형태를 지니는 이상 문화는 상품으로서 생산판매·유통 과정을 밟게 된다. 경제가 발전하고 삶의 질에 관심을 가질수록 문화 산업화는 가속도가 붙을 것이다. 문화가 상품의 생산 과정을 밟기 위해서는 참신한 재료가 공급되어야 한다. 지금까지 없었던 것을 만들어낼 수도 있으나, 온고지신溫故知新의 정신으로 오랜 세월에 걸쳐 그 훌륭함이 증명된 고전 작품을 돌아봄으로써 내실부터 다져야 한다. 고전적 가치를 현대적 감각으로 재현하여 대중에게 내놓을 때, 과거의 문화는 살아 있는 문화로 발돋움한다. 조상들이 쌓아 온 문화유산을 소중히 여기고 그 속에서 가치를 발굴해야만 문화 산업화는 외국 것의 모방이 아닌 진정한 우리의 것이 될 수 있다.

이제 고소설에서 그러한 가치를 발굴함으로써 문화 산업화 대열에 합류하고자 한다. 소설은 당대에 창작되고 유통되던 시대의 가치관과 사고 체계를 반드시 담는 법이니, 고소설이라고 해서 그 예외일 수는 없다. 고소설을 스토리텔링, 영화, 드라마, 애니메이션 등 새로운 문화상품으로 재생산하기 위해서는, 문화생산자들이 쉽게 접하고 이해할 수 있게끔 고소설을 현대어로 번역하는 작업이 선행되어야 한다.

고소설의 대부분은 필사본 형태로 전한다. 한지韓紙에 필사자가 개성 있는 독특한 흘림체 붓글씨로 썼기 때문에 필사본이라 한다. 필사본 고소설을 현대어로 번역하는 작업은 쉽지가 않다. 필사본 고소설 대부분이 붓으로 흘려 쓴 글자인데다 띄어쓰기가 없고, 오자誤字와 탈자脫字가

많으며, 보존과 관리 부실로 인해 온전하게 전승되지 못하는 경우가 대부분이다. 그뿐만 아니라, 이미 사라진 옛말은 물론이고, 필사자 거주지역의 방언이 뒤섞여 있고, 고사성어나 경전 용어와 고도의 소양이 담긴 한자어가 고어체로 적혀 있어서, 전공자조차도 난감할 때가 있다. 이러한 이유로, 고전적 가치가 있는 고소설을 엄선하고 유능한 집필진을 꾸려 고소설 번역 사업에 적극적으로 헌신하고자 한다.

필자는 대학 강단에서 40년 동안 강의하면서 고소설을 수집해 왔다. 고소설이 있는 곳이라면 주저하지 않고 어디든지 찾아가서 발품을 팔았고, 마침내 474종(복사본 포함)의 고소설을 수집할 수 있게 되었다. 필사본 고소설이 소중하다고 하여 내어놓기를 주저할 때는 그 자리에서 필사筆寫하거나 복사를 하고 소장자에게 돌려주기도 했다. 그렇게라도 하지 않았다면 지금쯤 벽지로나 휴지공장에 가서 소실되었을 가능성이 크다. 본인이 소장하고 있는 작품 중에는 고소설로서 문학적 수준이 높은 작품이 다수 포함되어 있고 이들 중에는 학계에도 알려지지 않은 유일본과 희귀본도 있다. 필자 소장 474종을 연구원들이 검토하여 100종을 선택하였으니, 이를 〈김광순 소장 필사본 고소설 100선〉이라 이름한 것이다.

필사본 고소설은 대체로 이본이 많다. 원 작자의 필사본을 독자가 필사할 때 필사자의 사고에 맞춰서 바꾸다보니, 창작 당시와는 다른 형태의 작품으로 전환되곤 한다. 이본異本이란 말이 이렇게 해서 생겨났다. 어느 원본 내지는 이본이든지 종이에 필사되어 있기 때문에 오랜 풍상을 견디기가 어렵다. 그래서 원본과 이본은 손괴 및 훼손의 위기에 직면해 있다. 고소설의 원본과 이본이 더 이상 소실되거나 손상되지 않도록 보존하지 않으면 안 된다.

보존이 어째서 얼마나 중요한지는 『금오신화』 하나만으로도 설명할 수 있다. 『금오신화』는 본격적인 한국 최초의 소설로서 역사적 가치나 문학적 가치가 타 소설에 견줄 수 없을 정도이다. 이러한 『금오신화』는 임진왜란 이전까지는 조선 사람들에게 읽히고 유통되었다. 최근 중국 대련도서관 소장 『금오신화』가 그 좋은 근거이다. 문제는 임란 이후로 자취를 감추었다는 데 있다. 우암 송시열도 『금오신화』를 구독할 수 없었다고 기록할 정도이니, 임란 이후에는 유통이 끊어졌다고 해야 할 것이다. 그럼에도 『금오신화』가 잘 알려진 데는 이유가 있다. 작자 김시습이 경주 남산 용장사에서 창작하여 석실에 두었던 『금오신화』가 어느 경로를 통해 일본으로 반출되어 몇 차례 출판되었기 때문이다. 육당 최남선이 일본에서 출판된 대총본 『금오신화』를 보고 우리나라로 역수입하여 1927년 『계명』19호에 수록함으로써 비로소 한국에 알려졌다. 『금오신화』 권미卷尾에 "서갑집후書甲集後"라는 기록으로 보면 현존 『금오신화』가 을집과 병집이 있었으리라 추정되며, 현존 『금오신화』 5편이 전부가 아닐 가능성이 높다. 귀중한 문화유산이 방치되다 일부 소실되는 지경에까지 이르렀으니, 한국인으로서 부끄럽기 그지없다.

이런 문제를 해결하기 위해서는 필사본 고소설을 보존하고 문화산업에 활용할 수 있는 고소설 문학관이나 박물관을 건립해야 한다. 고소설 문학관이나 박물관은 한국 작품이 외국으로 유출되지 못하도록 할 뿐 아니라 개인이 소장하면서 훼손되고 있는 필사본 고소설을 체계적으로 관리하는 데 크게 기여할 수 있다. 현재 가사를 보존하는 '한국가사 문학관'은 있지만, 고소설의 경우에는 그와 같은 시설이 전국 어느 곳에도 없으므로, 소설 문학관이나 박물관 건립은 화급을 다투는 일이다. 소설 문학관 혹은 박물관은 영남에, 그 중에서도 대구에 건립되어야 한다. 본격적인 한국 최초의 소설은 김시습의 『금오신화』로서 경주 남산 용장사에서 창작되었음을 상기할 필요가 있다. 경주는 영남권역이고 영남권역 문화의 중심지는 대구이기 때문에, 소설 문학관 혹은 박물관을 대구에 건립하지 않으면 안 된다. 소설문학관 혹은 박물관 건립을 통해 대구가 한국 문화 산업의 웅도이며 문화산업을 선도하는 요람이 될 것을 확신한다.

필사본 고소설은 우리가 문화민족이었다는 증거이며 한민족문화의 보고寶庫로서 우리 조상이 물려준 자랑스러운 문화유산이다. 조상들이 물려준 필사본 고소설이 무관심 속에 방치된 채 지금도 훼손되고 있다. 소설 문학관이나 박물관을 실제적으로 건립해야 길이 보존될 수 있음을 상기하면서 우리 고전에 대한 뜨거운 애정과 관심을 가지고 읽고 음미해 주기 바란다.

2014. 11. 5

택민국학연구원장 김 광 순

일러두기

1. 이 책은 해제를 앞에 두어 이해를 돕도록 하고 이어서 현대어역을 수록하였으며, 마지막으로 원문을 붙여 연구에 참조할 수 있도록 하였다.

2. 번역서의 제목은 현대어로 옮겼으며, 해제와 현대어역은 이에 준하고, 원문의 제목 표기는 원문대로 하였다.

3. 현대어 번역은 김광순 소장 필사본 한국고소설 474종에서 정선한 〈김광순 소장 필사본 고소설 100선〉을 대본으로 하였다.

4. 현대어 번역은 독자들이 쉽게 이해할 수 있도록 한글 맞춤법에 맞게 의역하고 어려운 한자어는 한자를 병기하였다.

5. 화제를 돌려 딴 말을 꺼낼 때 쓰는 접속부사인 각설却說, 화설話說, 차설且說은 현대어역에 그대로 쓰는 것을 원칙으로 하였다.

6. 이본을 참조해도 판독이 어려울 경우 그 사실을 각주로 밝히고, 판독判讀이 어려운 어휘나 낙장 낙자는 이본을 참조해 원문을 보완하였으며, 원문의 판독이 불가능한 경우에는 □로 표시하였다.

7. 고사성어와 난해한 어휘 등은 본문에서 풀어쓰고, 그렇지 않은 경우에는 각주를 달기로 하였다.

8. 원문은 고어 형태대로 옮기되, 띄어쓰기만 하고 원문 쪽수를 숫자로 표기하였다.

9. 각주의 표제어는 현대어로 번역한 본문을 대상으로 하였다.

목차

강릉추월전

강릉추월전

I. 〈강릉추월전〉 해제

〈강릉추월전〉

〈강릉추월전〉은 천상의 인연으로 가연佳緣을 맺은 두 남녀가 해적을 만나 헤어지고, 천신만고 끝에 얻은 아들을 해적에게 빼앗겼으나, 그 아들이 자라 자신의 근본을 알아낸 뒤 헤어진 가족과 상봉하는 이야기이다. 가족의 상봉 과정에 천상 선관에게서 받은 '강릉추월'이라는 옥퉁소가 결정적인 역할을 하기 때문에 〈강릉추월전〉이라고 하였다.

〈강릉추월전〉은 다양한 이본이 존재하며 현재 알려진 것만도 50여 종에 이른다. 표제도 〈강능츄월젼〉, 〈강능츄월〉, 〈강능츄월옥소전〉, 〈옥소전〉 등 여러 가지로 기록되어 있다. 여기에 현대어로 바꾸어 소개하는 〈강릉추월전〉은 김광순 소장 필사본 고소설 474종에서 정선한 〈택민 소장 필사본 고소설 100선〉을 대본으로 하였는데, 『김광순소장 필사본 고소설』 제1권에 수록되어 있는 〈강능추월전〉이다.

이 작품은 세로 28cm 가로 18cm의 한지에 총 134쪽에 걸쳐 필사되어 있는데, 각 면은 평균 10행이다. 각행은 평균 26자로, 비교적 깨끗한 흘림체의 한글필사본이다. 첫 장의 일부분이 떨어져나가 알아볼 수 없으나 전체 이야기를 파악하는 데는 지장이 없다.

〈강릉추월전〉의 특징은 영웅소설의 구조를 차용하고 있으면서도 불완전한 영웅의 일생담을 담고 있다는 것이다. 이 작품은 군담소설이 본격적으로 양산되기 시작한 19세기 이후, 군담의 대중적인 인기를 이용하여 개작 혹은 창작된 것으로 보인다. 이 때문에 주인공의 경우, 군담소설에서 흔히 볼 수 있는 영웅의 일생 구조를 차용하고 있다.

그런데 이춘백의 일생은 '출생담 - 결연담 - 고행담 - 시련극복담 - 결말담'으로 이루어지는 영웅의 일생 가운데 자라서 다시 위기에 빠지나 이를 극복하고 승리자가 되었다는 부분에서는 일치를 보이지만 출생담은 생략되어 있다. 또 이운학의 경우에는 어려서 고난을 겪기는 하지만 그 위기를 구출해주는 구출자나 양육자가 없고, 자라서도 자신의 위기를 온전히 스스로의 힘으로 극복한다는 점에서 전형적인 영웅의 일생과는 거리가 있다 하겠다.

〈강릉추월전〉의 또 다른 특징은 점진적으로 헤어졌다가 점진적으로 만남으로써 가족관계가 공고해지는 이야기라는 것이다. 〈강릉추월전〉은 가족의 헤어짐과 만남을 주요한 소재로 삼고 있다. 〈강릉추월전〉에는 아버지와 아들의 헤어짐과 만남, 부부의 이별과 만남, 할아버지와 손자의 만남, 사위와 장인의 만남, 외손자와 외조부의 만남 등 실로 다양한 만남과 헤어짐이 존재한다. 그런데 이들의 만남과 헤어짐은 차츰차츰 헤어졌다가 차츰차츰 만나는 점진적 양상을 보인다. 또 완전한 상태에서 헤어짐이라는 불완전한 상태로 변모했다가 다시 완전한 상태로 회귀하고 있다. 그런데 다시 만나 완전한 가족이 모였을 때는 처음보다 더욱 공고해진 모습을 띠고 있으며, 그 완전함의 최종적인 수혜자는 외부에서 가족으로 편입한 조채란, 곧 조부인이다.

〈강릉추월전〉에 드러나는 최초의 완전한 가족형태는 이춘백의 부모와 이춘백으로 이루어진 조선 강릉의 한 대가집이다. 그들의 결속력이나 구성원간의 친밀감은 결함이 없는 완전한 것이었다. 그런데 춘백의 조난으로 이들의 완전함은 깨어진다.

풍랑을 만나 표류했던 춘백이 옥문동에서 조낭자와 결연하여 다시 강릉으로 돌아옴으로써 가족의 결합은 다시 완전한 것으로 회복된다. 그러나 이때의 완전함은 엄밀한 의미에서 완전함은 아니다. 왜냐하면 친정 부모의 허락 없이 가족에 편입한 조채란이 있기 때문이다.

시부모들이 '하늘이 지시한 것이라며, 천금같이 사랑' 하지만 조부인의 입장에서 이는 부모의 허락 없이 결연한 것이며, 특히 결연했다는 소식조차 알릴 수 없는 처지에서의 결합이었다. 이는 외면의 완전함 이면에 불완전함이 도사리고 있는 상황이다. 즉 춘백의 귀향으로 가족은 다시 완전함을 회복한 듯하나 이는 겉으로 드러난 모습일 뿐이고, 내면적으로는 친정의 인정을 얻지 못한 불완전한 결합이었던 것이다.

한편 과거에 급제한 춘백이 황해도감사로 도임하게 됨으로써 춘백은 다시 부모와 이별한다. 이 이별은 춘백에게 있어서는 별다를 것이 없는 일상적인 삶의 한 부분이었지만 조부인에게는 커다란 의미가 있는 사건이다.

새롭고 낯선 공간에서 새로운 삶을 시작하게 된 조부인은 불안한 가운데 시댁 생활을 하게 된다. 자신의 가족내 위치나 주변 상황은 그녀에게 안정감을 주지 못하며, 친부모와 영원한 이별은 고독을 가중시키는 역할을 하였을 것이다. 이런 상황에서 새로운 공간으로의 이동, 그것도 자신이 의지할 수 있는 유일한 사람인 춘백과의 이동은 새로운 전기를 마련할 가능성을 배태한 이동이다. 그녀는 그곳에서 남편과의 친밀감을 보다 강화함으로써 고독을 들 수 있으며, 만약 자식이라도 얻게 된다면 가족내 자신의 위치를 확고히 하는 효과를 얻게 됨으로써 다시 안정감을 회복할 것이다. 그 이후 시댁으로의 귀환은 처음의 결합을 더욱 완전하게 하는 역할을 하게 될 터였다.

그러나 해적의 침탈과 아들 운학의 피랍被拉 사건은 조부인의 바람과는 달리 더 큰 이별과 가족관계의 해체를 가져온다. 조부인의 입장에서 의지하고 믿을 수 있었던 유일한 외부인이었던 춘백은 해적의 침탈에서 생사조차 알 수 없게 되었고, 복중에 있던 아들마저 도적에게 납치됨으로써 그녀는 의지할 곳 하나 없는 외톨이 신세가 된다. 이것은 가족 전체에도 적용되어 춘백은 춘백대로 머나먼 이국에서, 운학은 도적의 소굴에서, 춘백의 부모는 강릉에서 각자의 삶을 살아가게 된다. 즉 강릉에서 함께 살았던 춘백부부와 춘백의 부모는 춘백의 황해감사 도임으로 일단 헤어지고, 해적의 침탈로 춘백과 조부인이 다시 이별하며, 운학의 피랍으로 조부인과 운학마저 이별함으로써 가족은 극단적 해체로 접어들게 된다.

하나는 둘이 되고, 둘은 셋이 되며, 셋은 넷이 되는 극단적 상황이 벌어진 것이다. 이별은 횟수를 더해가면서 돌이킬 수 없는 것이 되고, 그만큼 만남은 절실하면서 어려워진다. 결국 서로 다른 공간에서 이별의 슬픔을 달랠 뿐인 상황에 이르고 만다.

끝없이 계속 되리라 생각했던 이별은 많은 세월이 흐른 후 운학이 강릉에 사는 조부를 방문함으로써 해결의 기미를 보인다. 비록 우연이긴 하지만 해풍에 밀려서 오게 된 곳이 강릉 이감사댁이었고, 여기서 가족의 만남은 이루어지는 듯했으나, 운명은 비껴가고 만다. 그러나 과거 급제와 어사 제수를 통해 모든 사실을 알게 된 운학은 헤어진 가족과의 만남을 추진하고 곧바로 어머니와, 이어서 조부모와 만난다.

헤어짐이 점진적이었던 것처럼 만남도 점진적으로 이루어진다. 이제 아버지와의 만남이 이루어진다면 가족은 다시 완전한 결합을 이루게 될 것이다. 그러나 아버지와의 만남은 쉽지 않다. 왜냐하면 가족들은 춘백의 생사를 알 길이 없었으며, 공간도 조선과 중국이라는 엄청난 거리로 떨어져 있었기 때문이다.

마침 운학이 중국 사신 갈 기회를 갖게 되자 조부인은 이때를 이용하여 자신의 미진한 결합을 해결하려 한다. 즉 친가에 허락을 얻지 못한 결합으로 내면적 불안을 안고 있었던 조부인이 아들을 통해 친가에 소식을 전함으로써 간접적으로 부모의 혼인 허락을 받아내어 비록 가군이 없으나마 완전한 결연을 이루고자 한 것이다. 이를 통해 조부인은 진정한 의미에서의 이춘백 가문의 일원이 될 수 있을 것이다.

한편 중원이 위기를 겪게 되자, 위기의 구원에 나섰던 춘백과 운학은 천자의 연회에서 강릉추월을 매개로 상봉한다. 이로써 춘백 가족의 만남은 완성을 보았다. 다만 장인과의 만남이 아직 미진한 채로 있을 뿐인데 이 또한 운학이 조선에서 가져온 신물로 해결하게 된다.

이렇듯 이춘백 가족은 점진적 해체의 과정을 거쳐 점진적 결합에 이르게 된다. 그 결과 완전한 가족 관계를 회복하게 되고 최초의 완전한 가족 관계보다는 보다 결속력 있는 관계로 발전한다.

〈강릉추월전〉에 보이는 만남과 헤어짐의 문제는 아버지 세대와 아들 세대의 가치관을 반영하고 있다. 아버지 춘백의 만남은 1차 조채란과의 만남, 2차 아들과의 조우이다. 그런데 그 과정에서 춘백은 자발적 행동을 보여주지 못하고 있다. 채란과의 만남은 예기된 운명이었으며, 두 번째 만남에서 나타나는 중국의 위기를 해결하는 영웅적 모습도 자발적이라기보다는 수동적, 지시적 성격이 강하다. 그 결과 그의 만남은 떠난 공간으로의 회귀에 불과했으며, 춘백의 이 만남은 '운명론적 가치관'을 대변한다고 할 수 있다.

이에 반해 아들 운학은 자신의 능력으로 또 자발적으로 만남을 이루어간다. 자신의 힘으로 모친과 상봉했으며, 장인과 처마저도 현실적 명분을 앞세워 처단하는 과단성을 보여준다. 게다가 중국의 위기를 구할 능력도 누구에게 의지한 것이 아니었다. 즉 영웅의 능력을 자발적으로 발휘한 것이다. 운학의 이러한 행동은 제자리를 찾으려는 현실적 욕망을 충족시키는 과정이었으며, 자발성이 강조된 삶이었다. 그렇다면 운학은 '현실중심의 가치관'을 보여주고 있다고 할 수 있다.

〈강릉추월전〉에는 이처럼 다른 두 가치관이 존재하고 있는데 이는 작품의 창작시기와 무관하지 않는 것으로 보인다. 근대의식의 발현과 실현이라는 조선후기의 상황을 작품에서는 아들과 아버지의 '만남의 과정과 결과'를 통해 드러내고 있는 것이다.

이처럼 상반된 인식이 등장하는 것은 변화하는 사회상을 일정 부분 반영한 결과이다. 더구나 아들의 구체적이고 적극적인 활동이 모든 가족의 통합된 만남을 가능하게 한다는 점에서 아들의 '현실중심의 가치관'이 보다 설득력을 얻어가는 시대상를 반영하고 있다고 할 수 있다.

작품 속에서 만남이 이렇게 크게 문제가 된 것은 독자들의 삶에서 느끼는 만남의 의미가 그만큼 절실했기 때문이었을 것이다. 임진왜란, 병자호란 등 전란의 경험은 가족의 이합에 대한 다양한 인식을 남겼을 것으로 생각된다. 또 조선후기 농민의 유리遊離와 피폐상은 또 다른 의미에서 헤어짐과 만남의 절실함을 당대인들에게 제공한다. 토지를 잃고 유리걸식하며 정착할 수 없는 삶 속에서 많은 가족은 이합집산의 아픔을 겪었을 것이다. 또 그들이 직접 경험하지 않은 것이라 하더라도 간접적으로 그들의 아픔은 충분히 내 것이 될 수 있었던 상황이었다.

이처럼 현실적 헤어짐과 만남의 과정에서 예기치 못한 운명의 힘에 좌절하면서도 가족간 만남의 희망을 잃지 않았던 경험, 영원히 만나지 못한 쓰라린 경험, 우여곡절 끝에 회우會遇한 경험들은 다양하게 형상화되었다. 〈강릉추월전〉의 만남은 이러한 현실의 문제를 정면에서 다루고 있었으며, 결국은 만남을 이루어냄으로써 독자들에게 쾌감을 주었던 것으로 보인다.

그런데 〈강릉추월전〉에서는 절실한 사회 문제였던 헤어짐과 만남의 문제를 다소 운명적이며 낭만적으로 해결하고 있다.

현실적 문제를 비현실적 낭만적 방법으로 해결함으로써 오히려 만남은 이루어질 수 없는 것으로 보이게 한다. 그러나 현실의 절실한 문제를 낭만적으로 해결한 것이 조선조 소설의 대체적인 문제해결 방법이었던 점을 감안할 때 이러한 해결은 오히려 당대 독자에게 꿈과 희망을 주었던 것으로 보인다. 즉 현실의 문제를 우의적으로 다루면서 낭만적 해결을 모색하고 그 결과 독자에게 미래의 전망을 제시한 조선조소설의 문법 속에서 낭만적 문제 해결은 독자들에게 오히려 그들의 만남을 필연적인 것으로 인식하게 하였을 것이다.

〈강릉추월전〉

〈강릉추월전〉의 필사자는 134쪽에 이르는 방대한 작품을 또박또박 붓으로 옮겨 쓰고 수십 번 반복하여 읽었을 것이다. 또 그 주위에는 그 이야기를 듣기 위해 수많은 사람이 모여들었을 것이다. 무엇이 이런 정성과 열정을 가능하게 하였을까? 그것은 아마 그 속에 그들의 꿈과 희망이 녹아 있었기 때문이었을 것이다.

조채란이 헤어지고 고난을 당했을 때는 비탄을 금치 못했을 것이며, 운학이 어머니와 아버지를 만나는 장면에서는 함께 기뻐하며 눈물을 흘렸을 것이다. 이 과정에서 그들은 삶을 새롭게 살아가는 힘을 얻었을 것이고, 그 속에서 희망을 보았을 것이다.

필사본 고소설에는 이처럼 우리 조상의 애환과 삶의 지혜가 녹아 있다. 가족의 해체와 개인주의의 만연이 사회 문제가 된 요즘, 〈강릉추월전〉이 보여주는 가족중심의 삶은 하나의 지남指南이 될 수 있다. 필사본 고소설이 그저 낡은 이야기가 아니라 여전히 오늘날에도 가치 있는 문화적 유산이 될 수 있는 것은 바로 이 때문이다.

II. 〈강릉추월전〉 현대어역

강원도 강릉 삭옥봉[1] 아래 사는 사람이 있으니 성은 이李요 이름은 춘백이었다. 얼굴과 태도가 맑고 아름다워 옥을 깎아놓은 듯하였으며, 재주와 자질이 명석하고 민첩하여 옛날이나 지금의 세상사에 통달하지 않음이 없었는데, 문장도 뛰어났고 명필名筆로도 이름을 드날렸다.

열네 살이 되자 사람됨이 더욱 준수하였는데 산천경개를 좋아하여 하루는 삭옥봉에 올라가 온종일 머물렀다. 밤이 깊어가자 달빛은 밝게 빛나며 숲은 깊고 그윽하였고, 가을바람 소리는 쓸쓸하고 골짜기를 흐르는 물소리는 잔잔하였다.

밤기운이 고요하고 적막한 가운데 홀연히 옥퉁소 소리가 바람결에 은은히 들려 춘백은 마음에 괴이하게 여겨 소리를 따라 절벽 꼭대기로 올라갔다. 거기에는 한 청아한 소년이 달빛 아래 혼자 앉아 옥퉁소를 잡고 달빛을 희롱하고 있었다.

소년이 부는 퉁소의 맑고 아름다운 소리가 구름 사이에 어리니 사람의 마음에 감동이 일어 진루秦樓[2] 밝은 달 아래 왕자진王

1) 삭옥봉 : 장정룡은 삭옥봉이 현재의 어디인지는 알 수 없으나, 사곡봉寺谷峯으로 표기한 예가 있는 것으로 보아 현재 절골로 알려져 있는 명주군 구정면 일대라고 하였다.

2) 진루秦樓 : 진秦 목공穆公이 그 딸 농옥弄玉을 위하여 지은 누각. 또 다른 이름으로는 봉루鳳樓. 전하는 바에 의하면 '진 목공의 딸 농옥은 음악을 좋아했다고 한다. 소사蕭史라는 퉁소를 잘 불어 봉황의 울음소리를 만들 정도의 사람이 있었는데 목공이 딸을 그에게 시집보냈다고 한다. 두 사람이

子晋[3]의 퉁소 소리인 듯하였으며, 계명산 가을 달밤에 불던 장자방張子房[4]의 곡조는 오히려 속된 것처럼 여겨졌다.

춘백이 마음속으로 크게 기뻐하여 무릎을 가지런히 하고 바르게 앉아 인사를 하였더니 그 소년이 이윽히 보다가 그 곡조를 그치고 물었다.

"그대는 이춘백이 아니십니까? 그대를 보려고 이곳에 왔다가 이제야 만나게 되니 반갑습니다."

하고 갑자기 다시 퉁소를 불고 말하기를,

"이것은 바로 하늘 위 백옥루白玉樓[5]에 사는 신선의 옥퉁소입니다. 강릉추월江陵秋月이라 이름을 새겼는데, 인간 세상에는 없는 것이지요. 천상의 신선이 그대를 소중하게 여겨 보낸 것이니, 잘 간수하여 공부해두면 장래에 쓸 데가 있을 것입니다."

하고 춘백에게 주었다.

춘백이 두 번 절하고 옥퉁소를 받아 단정히 앉아서 불어보니 그 소리가 청아하여 그 소년의 소리와 다르지 않았다. 그 소년이 크게 기뻐하며 말하였다.

퉁소를 불면 봉황이 와서 모였다고 하며 후에 그들은 봉황을 타고 날아올라 떠나갔다.'고 함.

3) 왕자진王子晋 : 주나라 영왕靈王의 태자太子 진晋. 왕자교王子喬라고도 하는데 퉁소를 잘 불어 봉황의 울음소리를 만들었다고 함.

4) 장자방張子房 : 장량張良. ? ~ BC 168. 한漢나라 고조高祖 유방劉邦의 공신. 자字는 자방子房이며 시호諡號는 문성공文成公.

5) 백옥루白玉樓 : 옥황상제의 궁전. 옥루玉樓.

"부디 옥퉁소 곡조를 익혀 두십시오. 남아가 세상을 살아감에 앞으로 살아갈 길은 멀고, 인간만사는 푸른 바다에 떠 있는 조각배처럼 위태롭습니다. 그대가 이러한 뜻을 아시겠습니까? 또 이 퉁소에 강릉추월이란 이름이 분명히 새겨져 있으니 천 년을 흘러 전해지더라도 이 의미를 잊지 마시고, 만 리 밖으로 떠나가더라도 이 뜻을 잊어서는 안 될 것입니다. 저는 오늘 밤, 새벽 강을 떠도는 부평초 같은 신세인지라 다시 보기 어려울 것입니다."

하고 삼경신풍三更迅風[6]에 몸을 솟구쳐서 공중을 향하여 올라갔다.

춘백은 애틋한 마음을 이기지 못하여 하늘을 향해 절을 하고 집으로 돌아왔다. 집으로 돌아와서도 신기한 마음을 이기지 못하여 낮에는 시흥詩興을 일으켜 이태백의 시에 화답하고 밤에는 달빛 아래서 퉁소를 불며 세월을 보냈다.

마침 춘삼월 호시절이라 꽃들은 울긋불긋 피어나고 가녀린 버드나무는 하늘하늘 흩날렸다. 춘백은 좋은 날씨를 만났기에 모처럼 푸른 파도 위에 조각배를 띄우고 바다 풍경을 구경하며 배 위에서 옥퉁소를 불었다. 그런데 갑자기 미친 듯한 바람이

6) 삼경신풍三更迅風 : 삼경三更은 하룻밤을 다섯으로 나눈 셋째 부분으로 곧 밤 12시부터 새벽 2시까지의 동안이다. 신풍迅風은 세게 휘몰아치는 바람이다. 여기서는 '야심한 밤 휘몰아치는 바람 속에'라는 뜻.

크게 일어나더니 춘백이 탄 조각배가 가을바람에 날리는 나뭇잎처럼 바다 위를 떠다녔다.

춘백이 놀라 '신선이 산다는 봉래산蓬萊山[7]이 어디쯤인가, 삼천 리나 된다는 약수弱水[8]가 아마도 지척에 있나 보다. 강릉은 어느 쪽인가.' 하고 허둥지둥하는 사이에 고향 산천이 아득해졌다. 겨우 정신을 차려서 사방을 살펴보니 처음 보는 풍경이어서 천외지객天外之客[9]처럼 어디로 향할지 알지를 못하였다.

시간이 지나 바람이 자고 험한 파도도 고요해지자 배가 순식간에 한 곳에 다다라 뭍에 닿았다. 춘백이 뱃줄을 당겨 매어두고 뭍에 내려가 보니 열 길 남짓한 석탑 위에 석문石文[10]을 매달아 놓았고 거기에 웅장한 전자篆字[11]로 옥문동玉門洞이라 새겨둔 것이 있었다.

문 안으로 들어가 사방을 둘러보며 여기저기 살펴보니 인가人家도 없고 사람도 보이지 않았다. 다시 바닷바람에 기대어 서성이다 남쪽을 바라보니 연두색 저고리에 다홍색 치마를 입

---

7) 봉래산蓬萊山 : 중국에서 상상하던 삼신산三神山의 하나. 동쪽 바다 한가운데 있어서 신선이 살고, 불로초不老草과 불사약不死藥이 있다는 영산靈山. 참고로 삼신산은 봉래산·방장산方丈山·영주산瀛洲山으로 진시황秦始皇과 한무제漢武帝가 불사약을 구하려고 동남동녀童男童女 수천 명을 보냈다고 함.

8) 약수弱水 : 신선이 살았다는 중국 서쪽의 전설적인 강으로 길이가 삼천 리나 되며, 부력浮力이 매우 약하여 기러기의 털도 가라앉는다고 함.

9) 천외지객天外之客 : 하늘 밖의 나그네.

10) 석문石文 : 비석·벽돌·기와 따위에 새긴 글.

11) 전자篆字 : 고대 한자 서체書體.

고 칠보七寶로 단장한 옥 같은 낭자娘子 두 사람이 걸어오고 있었는데, 옷고름에는 해와 달 모양의 패옥佩玉이 쟁쟁거렸다. 자세히 보니 고운 비단에 붉은 끈을 맨 옷을 입고 있는 여인은 오른손으로 얼굴을 가리고 있었고, 푸른 색 나삼羅衫을 입고 수건을 쓴 여인은 왼손으로 눈물을 닦고 있었다.

두 여인이 연꽃을 수놓은 아름다운 신을 신고 단정한 걸음으로 가까이 오니, 춘백이 그 모습을 보고 더욱 아름답게 여겼다. 하지만 다시 보아도 조선 사람의 물색物色이 아니었기에 갈 길을 서로 머뭇거리다가 춘백이 물었다.

"낭자는 어디 사시는 분이며, 무슨 일로 이렇게 슬피 울면서 이곳에 오시게 되었습니까?"

그러나 두 낭자는 푸른 부채로 얼굴을 가리고 돌아서서는 아무 말도 하지 않았다.

춘백이 다시 물었다.

"낭자의 행색이 가련하고도 애처롭습니다. 어디에 사시는 분인지는 모르겠습니다만, 후행後行[12]도 없이 여자 둘이 오시니 혹시 후행을 잃어서 우시는 것입니까? 아니면 길을 잃어서 우시는 것입니까? 그것도 아니라면 연약한 마음을 지닌 가녀린 두 분이 무엇이 서러워서 우시는 것입니까?"

---

12) 후행後行 : 혼인 때 가족이나 일가 중에서 신부나 신랑을 데리고 가는 것을 말하는데, 여기서는 그처럼 인도하거나 보호하는 일행이라는 뜻으로 쓰임.

뒤에 서 있던 낭자는 다만 앞에 선 낭자만 볼 뿐이었고, 앞에 선 낭자는 아미蛾眉[13]를 숙이고 옥 같은 목소리로 나직이 말하였다.

"우리는 중국 여남汝南[14] 사람이라 여기가 어딘 줄 모르옵니다. 제 뒤에 선 낭자는 여남 소주蘇州[15]에 사시는 조상서 댁 낭자이옵고 저는 낭자의 시비侍婢[16] 설랑입니다."

"안타깝습니다. 그런 귀한 집 낭자께서 무슨 일로 규중閨中을 떠나 이곳까지 오셨습니까?"

하니 설랑이 말하였다.

"봄바람이 따뜻하기에 동무들을 따라 화전놀이를 하러 바닷가에 나가서 배를 타고 놀았는데 바람과 파도를 만나 이곳까지 왔습니다. 여기는 어디입니까?"

"이곳은 옥문동이라 합니다. 저는 조선 사람인데 저도 바람과 파도를 만나 처음 여기에 왔습니다. 만리타국에서 피차 곤궁을 당하기는 마찬가지입니다. 서로 불쌍하다고 여기시고, 이렇게 만난 것을 곤란하다 여기지는 마십시오. 또한 날이 저물었는데 어찌 이처럼 사람 하나 없는 곳에서 밤을 지새우겠습니까? 또 돌에 글을 새겨놓았으니 반드시 인가가 있을 것입니다. 들어가

---

13) 아미蛾眉 : 누에나방의 눈썹이라는 뜻으로 미인의 눈썹을 이르는 말.
14) 여남汝南 : 지금의 하남성河南省 상수현商水縣.
15) 소주蘇州 : 현재 중국 강소성江蘇省 남동부 태호太湖 동쪽 기슭에 있는 도시.
16) 시비侍婢 : 늘 몸 가까이 있으면서 시중드는 여자 종.

보시겠습니까?"
하고 춘백이 앞에서 인도하니, 그 시비도 낭자를 데리고 따라 왔다.

배꽃이 가득 핀 곳으로 찾아들어가니 화려하게 장식한 아름다운 집 한 채가 보였다. 골짜기를 벗어나 그 집 앞에 이르렀으나 어떤 사람의 집인지를 몰라 의심이 생겨 들어가기를 주저하였다. 그러나 해는 저물어가고 갈 곳도 없었기에 주저주저하며 점점 앞으로 들어갔다.

집에도 옥문동이라 새겨놓았는데 그 아래에 청실홍실로 엮은 비단에 큰 글씨가 있었다. 자세히 보니 '몇 월 몇 일에 조선 사람 이춘백과 중국 여남 사람 조낭자와 시비 설랑이 들어올 것이다.'라고 적혀 있었다.

춘백과 조낭자가 마음속으로 놀라 시비와 함께 한참을 보다가 이윽고 집안으로 들어가니, 푸른 학과 흰 학이 왔다갔다 하고 있었으며 앵무새와 공작이 뛰놀고 있었는데 인적은 고요하였다. 다시 문 하나를 더 들어가니 청삽사리가 짖는 소리가 들리면서 할머니 한 분이 환하게 웃으며 그들을 맞이하였다.

"선군仙君이 어찌 이곳에 왔느뇨?"
하며 춘백을 외당外堂[17]으로 인도하고는 다시 나와 조낭자의

---

17) 외당外堂 : 사랑舍廊. 집의 안채와 따로 떨어져 있어 바깥주인이 거처하며 손님을 접대하는 곳. 객당客堂, 외실外室이라고도 함.

손을 잡고 말하였다.

"어떻게 여기를 찾아오셨습니까?"

하며 내당으로 맞이하였다. 낭자가 사방을 둘러보니 이 집에는 남정네는 없고 다만 늙은 할머니 한 분뿐이었다.

시간이 지나 할머니가 저녁밥을 차려오자, 춘백이 말하였다.

"노인장은 오늘 내게는 사람을 살린 부처님과 같소이다. 나같이 갈팡질팡하며 어찌할 줄 모르는 사람을 마치 예전부터 알고 지내던 사람마냥 대접하니 감사한 마음을 이루 헤아릴 수 없습니다. 존호尊號를 무엇이라 하십니까?"

"나는 다른 사람들이 옥문동 채약採藥할미라 부릅니다."

"그렇다면 우리들이 오늘 올 줄을 어찌 아셨습니까?"

"얼마 전에 하늘에서 한 신선이 내려와 그 글을 문에 붙이고는 저에게 두 사람을 혼인시키라고 하였습니다."

춘백은 괴상하게 여기면서도 더는 묻지 못하고 저녁을 먹었다.

그 사이 채약할미는 내당으로 들어가 낭자의 머리를 어루만지며 말하였다.

"곤란한 처지를 당하셨습니다. 낭자여, 이처럼 고운 얼굴이니 하늘이 어찌 곤궁한 일을 당한 줄 알지 못하겠습니까? 아름답고 고운 낭자께서 어찌 이런 험한 길을 오셨습니까?"

하며 음식을 권하였다.

"할머니는 누구십니까?"

"저는 이 골짜기에서 약초를 캐며 사는 할미입니다. 이 집에는 남정네는 없고 나 혼자 있으니 낭자께서는 평안히 쉬십시오."

"나 같은 사람을 주인께서 어떻게 아시고 이처럼 다정하게 대해주십니까?"

하니, 채약할미가 웃으며 말하였다.

"낭자께서 이리로 오실 것은 하늘이 이미 지시해둔 것입니다. 차차 말씀 드리겠습니다."

하고 외당으로 나갔다.

채약할미는 외당에 가 저녁밥을 물리고 춘백에게 말하였다.

"선군께서는 오늘밤 의지할 데 없이 외롭겠지만 편안히 지내십시오."

하고 다시 내당으로 들어가 촛불을 밝히고 조낭자와 설랑과 함께 이런저런 이야기를 하였다.

이때 낭자가 말하였다.

"갈팡질팡하여 어찌할 줄 모르는 제가 처음으로 할미를 만나 편하게 쉬오니 이 모두 할미의 덕입니다마는, 고향으로 돌아가게 해주십시오."

채약할미가 웃으며 말하였다.

"낭자께서 어찌 이런 말씀을 하십니까? 선군을 만난 것도 천행이요, 저를 만난 것도 천행이니, 이 일은 하늘이 하시는 것입니다. 제가 어떻게 낭자를 고향으로 돌아가게 할 수 있겠습니까?"

하니 낭자가 부끄럽고 창피한 생각에 고개를 숙이고 다시 아무 말도 하지 못하고 앉아 있었다.

곁에 있던 설랑이 말하였다.

"우리 낭자는 규중의 얌전한 처자이니 함부로 희롱하지 마십시오. 어떻게 해서든지 고향으로 돌아가게 해 주십시오."

"제가 이미 다 아는 일이 있으니, 어찌 희롱하겠습니까? 낭자의 운수에 끼여 있는 재액이 부모를 이별하게 하였고, 이리로 오게 한 것도 하늘이 지시하신 일입니다. 또한 하늘이 정해준 연분을 만나기 위해 바람과 파도를 만나 이리로 온 것도 하늘이 지시하신 것입니다. 하물며 하늘이 지시하신 일을 원망해본들 어찌 하겠습니까? 내일 이선군과 조낭자의 삼생가약三生佳約[18]을 맺을 것이니 설랑은 그렇게 아십시오. 하늘이 내린 명령과 하늘이 주신 복록을 어기지 마십시오."

설랑이 이 말 듣고 곰곰이 생각하니 이미 정해져 있는 운명이었고 사람이 어찌 할 수 없는 것이었다. 할 수 없이 낭자에게 말하였다.

"우리의 신세와 운수가 불행하여 부모님을 이별하고 이 지경을 당하였습니다. 이제 이렇게 고향으로 돌아가지 못하게 된 것은 하늘이 정한 때와 하늘이 정한 재액을 어기지 못하기 때문

---

18) 삼생가약三生佳約 : 삼생三生은 전생前生 · 현생現生 · 후생後生을 통틀어 이르는 말이다. 즉 삼생을 두고 끊어지지 않을 아름다운 언약을 말함.

입니다. 그러니 앞으로 낭자의 신세가 어찌 될 지 또 어떻게 알겠습니까? 낭자께서는 잠시의 부끄럽고 창피한 마음 때문에 백년가약을 난처하다고 하지 마십시오."

낭자가 마음속으로 생각해보니 어찌 할 수 없는 일인지라 한숨짓고 앉았다가 이윽고 소리를 나직하게 하여 설랑에게 말하였다.

"그만한 일을 내가 어찌 알겠느냐? 채약할미와 의논하여라."

하니 채약할미가 말하였다.

"낭자는 슬프다고 여기지 마십시오. 이전 『숙향전』의 주인공 이선과 숙낭자도 마고할미가 중매하였으니, 이것은 하늘이 이미 아름다운 인연을 맺어둔 것입니다. 이제 이선군과 조낭자를 채약할미가 중매하여 옥문동에서 아름다운 인연을 맺는다면 무엇이 잘못 되었다 하겠습니까? 게다가 낭자께서 이선군과 연분을 맺어서 조선으로 가게 되신다면 자연히 부모님의 소식을 들을 수 있을 것입니다."

하고 밤이 꽤 깊도록 이야기를 나누다가 각자의 처소로 돌아갔다.

이튿날 채약할미가 춘백에게 의관을 갖추어주고 이런 사연을 자세히 말하였다. 이어서 내당에 들어가 낭자 앞에 앉아 은봉채銀鳳釵[19] 금봉채金鳳釵 등 패물과 나삼羅衫[20] 등 화려한 옷을 입혀 녹의홍상의 예복을 갖추고 연길서涓吉書[21]를 놓아 예식을 치르는 자리를 마련하였다. 이렇게 혼례를 치르니 마치 천상 백옥루의 선관과 선녀가 노니는 듯하였다.

그 이튿날 채약할미가 여러 가지 음식을 마련하여 서로 먹으니 모두 처음 보는 것이었다. 며칠이 지난 뒤에 채약할미가 어떤 편지를 써서 학의 다리에 매어 어디론가 날려 보내고는, 춘백에게 말하였다.

"선군은 여기 오래 머물지 못할 것입니다. 내일이면 본가로 돌아갈 수 있을 것입니다."

하며 말을 주고받는 사이에 그 학이 돌아왔다. 곧이어 어떤 하인이 교자轎子[22]를 가지고 와 행차를 준비하였다.

채약할미가 춘백을 향하여 말하였다.

"제가 선군을 만나서 잘 대접하지 못하였으니 마음에 부끄럽고 창피합니다. 다시 또 만나 보기가 쉽지 않을 것이니, 선군과 조낭자는 제 말을 자세히 들으십시오.

사람이 세상에 태어나서, 수천만 가지로 많이 변하는 세상일을 다양하게 보더라도 세상의 이치를 알기 어려운데 보지 못한

---

19) 은봉채銀鳳釵 : 꼭지를 봉황의 머리 모양으로 새긴 은비녀의 한 가지.
20) 나삼羅衫 : 부녀자들의 예복의 한 가지. 혼례 때 신부가 활옷을 벗고 입음.
21) 연길서涓吉書 : 사주를 받은 신부 집에서 허혼許婚의 뜻으로 혼인 날짜를 받아 적은 것을 연길이라 하며, 연길 편지와 함께 싸서 신랑 집으로 보냄.
22) 교자轎子 : 평교자平轎子. 종1품 이상 및 기로소耆老所 당상관堂上官이 타는 가마로, 앞뒤로 두 사람씩 네 사람이 낮게 매고 천천히 가도록 되어 있음.

일을 어떻게 알 수 있겠습니까? 우선 눈앞에 선군과 낭자의 일을 살펴보십시오. 조선의 이선군과 중국의 조낭자가 옥문동에서 부부 될 줄 누가 알았겠습니까? 또 중국 여남 사람인 조낭자가 조선의 이선군을 만나 시집가서 조선 사람이 될 줄 어찌 알았겠습니까? 이런 일로 보건대 세상의 현의玄義한[23] 일은 헤아릴 수가 없는 것입니다."

이어서 낭자에게 말하였다.

"제가 옛 말을 들으니, 남자가 변하여 여자가 되기도 하고 여자가 변하여 남자가 되는 일도 있으며, 평화로운 세상이 변하여 어지러운 세상이 되는 이치도 있다고 합니다. 슬프다, 낭자여! 우리가 서로 만났다가 다시 이렇게 이별하게 되니 어느 날 다시 보겠습니까? 사람의 인생은 푸른 하늘에 떠도는 구름과 같으니 아득한 앞일을 어찌 알겠습니까? 가련하고 또 가련합니다. 부디 편안하게나 가시옵소서."

하고 낭자를 교자에 들어가 앉게 하였다.

그 하인들이 교자를 배에 싣고 춘백과 설랑도 또한 배에 오르니 사공이 돛대를 높이 세우고 제미[24]를 저어 만 리의 바다를 화살처럼 나아갔다. 이윽고 한 곳에 다다르니 반가운 삭옥봉이 눈앞에 번득 나타났다.

---

23) 현의玄義한 : 현묘玄妙한 뜻이 있는.

24) 제미 : 제밋대. 상앗대의 방언. 물가에서 배를 떼거나 또는 물이 얕은 곳에서 밀어갈 때에 쓰는 장대. 삿대라고도 함.

고향집 문 앞에 다다르자 춘백은 뱃머리에서 뛰어내려 교자를 앞세우고 집으로 달려갔다. 이것을 본 그 부모가 놀라 달려나오면서 경황불각간驚惶不覺間에[25] 우선 교자를 앞세워 내당으로 들어가게 한 뒤 춘백에게 물었다.

"네가 집을 나가서 그 사이에 어디를 갔다 왔느냐? 또 이렇게 장가간 모습으로 나타난 것은 어찌 된 일이냐?"

춘백이 절을 하며 말하였다.

"불효 소자가 일전에 바닷가로 뱃놀이를 하러 나갔다가 큰 바람이 일어나 파도에 떠밀려 어디로 가는 줄도 모르고 옥문동이라 하는 곳에 이르렀습니다. 그곳에서 부모님에게 허락받지도 않고 혼례를 이루었으니 죄가 무거워 죽어도 돌아갈 곳이 없습니다."

이어서 옥문동이라는 곳에 들어가 조낭자와 서로 만난 일과 구중대궐처럼 깊은 곳에서 채약할미를 만난 일과 채약할미가 천상의 선관을 이야기하던 말과 채약할미가 매파가 되어서 조낭자에게 중매한 일과 천상의 선관이 정한 연분을 어기지 못해 성례成禮한 일을 아뢰고, 또 푸른 학의 발에 편지를 매어 보냈더니 잠깐 사이에 사람들이 교자를 가지고 와 집으로 인도한 일 등 앞뒤의 일을 낱낱이 아뢰었다.

그 부모가 놀라고 두려워하며 말하였다.

---

25) 경황불각간驚惶不覺間에 : 놀라고 두려워서 어리둥절하며 허둥지둥하여 상황을 깨달을 사이도 없이.

"너의 배필이 만 리 밖에 있었으니 사람의 힘으로는 만나지 못하였을 것이다. 그러니 네가 어찌 바람에 밀려 표류하지 않을 수 있었겠으며 그 낭자 또한 어찌 바람에 밀려 표류하지 않았겠느냐? 또 옥문동에서 만난 것도 하늘이 지시한 것이고, 채약할미를 만난 것도 하늘이 지시한 것이니 이 모두가 어찌 기이한 일이 아니겠느냐?"

이어 내당으로 들어가 자리를 베풀어 놓으니, 시비 설랑이 공경하는 마음으로 예법을 갖추어 조부인을 인도하고서는 구고지례舅姑之禮[26]를 행하게 하였다. 그 시아버지와 시어머니가 맑고 깨끗한 그 자색姿色을 보고 칭찬해 마지않았으며, 몰래몰래 구경하며 즐거워하던 사람들도 모두 처음 보는 일이며 처음 듣는 일이라 하였다.

이후 그 시아버지와 시어머니, 그리고 남편이 천금千金처럼 아끼고 사랑하였으나 조부인은 매번 고향의 부모님을 생각하며 마음속으로는 슬픔을 품고 지냈다.

어느 날 금강산金剛山 천불암千佛庵 여승女僧이 권선勸善[27]을 가지고 와서 시주하기를 청하였는데, 조부인이 그 여승에게 물었다.

---

26) 구고지례舅姑之禮 : 현구고례見舅姑禮. 신부가 폐백을 가지고 처음으로 시부모를 뵙는 예.

27) 권선勸善 : ① 착한 일을 하도록 권함. ② 절을 짓거나 불사佛事를 하기 위해 선심善心 있는 신자들에게 보시布施를 청함. 여기서는 ②의 뜻.

"시주하오면 우리 가군家君[28]의 앞길이 잘되게 해주시겠는가?"

여승이 말하였다.

"우리 신령하신 부처님은 사람들의 운명과 복록을 많이 점지하십니다. 제가 지극한 정성으로 발원發願을 드리겠습니다."

조부인이 이에 권선지勸善紙를 펼치고는 천 냥을 시주하였다.

여승이 조부인의 생년월일을 적어 가지고 나와 주역 팔괘를 손금에 올려 길흉을 점쳐보다가 탄식하고 한탄하며 말하였다.

"이 운수를 살펴보니 지극히 험합니다. 부인은 하늘로부터 타고난 죄악이 있으므로 이번 생애에서는 고향을 이별할 운수이며, 이공자도 이번 생애의 운수와 재액 때문에 다른 나라에 가서 고생할 운수입니다. 두 분 모두 머지않아 죽을 액운이 있지만, 만일 이 액운을 잘 지나가신다면 부귀공명이 천하제일이 될 것입니다. 별달리 액운을 제거할 만한 방법이 없으니 저는 돌아가 부처님께 두 분이 오래 사시도록 발원해보겠습니다."

조부인이 그 말을 듣고 한편으로 놀라면서 또 한편으로는 탄식하며 말하였다.

"앞으로 다가올 일을 어찌 그렇게 알 수 있는가? 나는 과연

---

28) 가군家君 : 남에게 자기 남편을 이르는 말.

다른 나라 사람이로다. 나 같은 목숨이야 죽어도 서럽지 아니하니 가군의 장수와 복록을 지극한 정성으로 빌어주게."
하고 백 번이나 부탁하니 그 여승이 그렇게 하겠다고 대답하고 돌아갔다.

그 후 일 년이 지난 뒤 나라에 경사가 있어서 태평과거太平科擧[29]를 열었는데, 이에 춘백이 행장을 차려 경성으로 올라갔다. 시험일이 되자 춘백은 시험지를 펼쳐두고 단산丹山에서 나는 붉은 돌에 용을 새긴 벼루에 금과 은으로 글자를 전각篆刻하여 장식한 먹을 갈았다. 그리고 호황모胡黃毛[30] 무심필無心筆[31]로 단숨에 힘차게 내리써서 시험장에서 첫 번째로 가장 먼저 답지를 제출하였다.

임금이 답안을 보고 이름을 기록하고는 홍릉弘陵[32] 참봉에 제수하였고 춘백은 임금님의 은혜에 감사하며 축수祝壽하고 집으로 돌아왔는데, 그 무한한 광채가 찬란하여 보는 사람마다 칭찬하지 않는 이가 없었다.

이어서 성상聖上께서 더욱 칭찬하시고 황해도 감사監司를 제

---

29) 태평과거太平科擧 : 나라에 기쁜 일이 있을 때에만 특별히 보이던 과거.
30) 호황모胡黃毛 : 만주에서 나는 족제비의 꼬리털. 붓을 매는 데 쓰임. 여기서는 그것으로 만든 붓을 말함.
31) 무심필無心筆 : 딴 털로 속을 박지 않고 맨 털붓.
32) 홍릉弘陵 : 경기도 고양시 신도동神道洞에 있는 조선 제21대 왕 영조의 원비元妃 정성왕후貞聖王后 서씨徐氏의 능.

수하시니, 춘백은 고향에 돌아와 조상의 묘를 찾아가 풍악을 울리며 그 영예를 고하고 길 떠날 채비를 하였다.

길을 떠나면서 춘백은,

"해주海州는 길이 지극히 험하고 아주 멀리 떨어져 있으니 부모님을 모셔가기는 난처하옵고, 또 집안일을 처리할 만한 사람도 없습니다. 행여 직분을 바꾸어 다른 곳으로 임지任地를 옮기게 된다면 그 때 부모님을 모시고 가겠습니다. 엎드려 바라건대, 부모님께서는 옥체를 보중하십시오. 제가 해주에서 받는 매달의 녹봉 모두로 받들어 모시겠습니다. 그리고 빨리 돌아오겠습니다."

하고 해주로 떠났다.

해주는 원래 우리나라의 경계에 해당하는 곳으로 산천은 험악하고 인심은 쌀쌀하고 각박한 땅이다. 춘백이 그 자리에 나아간 뒤 신역身役[33]을 덜어주며 풍속을 온화하고 유순하게 하고 인仁에 바탕을 둔 정치를 베푸니 도내의 백성들이 어진 사또라 칭송하는 소리가 진동하였다.

한편 해주에는 도적이 자주 출몰하여 노략질을 일삼았다. 춘백도 강릉 본댁에 봉물封物[34]을 보냈다가 모두 중간에서 탈취

33) 신역身役 : 나라에서 성정成丁에게 강제로 부과하던 부역, 곧 몸으로 치르던 노역勞役.

34) 봉물封物 : 시골에서 서울 사는 벼슬아치에게 선사하던 물건.

당하고 말았고, 아무리 염탐해도 잡을 수가 없었다.

세월이 물처럼 흘러 벼슬살이의 임기가 차서 다시 다른 곳으로 옮겨가게 되었는데, 춘백은 행차를 재촉하여 배를 타고 떠났다. 그런데 오는 도중에 해적을 만나 가졌던 것을 모두 탈취당하고 배 또한 부서져 불쌍한 사람들이 모두 죽고 말았다.

춘백이 놀라 당황하여 어쩔 줄 몰라 하며 살펴보니 조부인과 설랑은 간 곳이 없고 모시고 따라오던 하인들도 하나도 없었다. 매어두었던 뱃줄도 끊어지고 돛대도 부러져 한 없이 너르고 너른 바다를 지향 없이 떠가니 춘백은 살아날 방법이 없어 크게 목 놓아 서럽게 울었다.

"조부인아! 살았는가, 죽었는가?"

춘백은 아무리 하여도 단념할 수밖에 별 도리 없다고 여겨 차라리 물고기 밥이나 되리라 하며, 깨진 뱃조각을 두 손으로 틀어잡고서는 정신을 잃고 엎어지고 말았다. 그런데 어디선가 외치는 소리가 들려 자세히 살펴보니 한 노승이 구름을 타고 오면서 춘백을 부르고 있었다.

"춘백아, 정신을 진정하여라. 너르고 너른 푸른 물결 속에 너 하나 죽고 나면 그 누가 알겠느냐?"

춘백이 정신을 차려 일어나 보니 아무도 없고 서쪽 하늘로 해가 지고 있었으며 동정호처럼 맑은 바다에 달이 뜨고 있었다. 그 사이 미친 듯이 불던 바람은 잠을 자듯 잠잠해지고 순풍이 불고 있었는데 잡고 있던 뱃조각도 그대로 있었다.

갑자기 서쪽 하늘에 불빛이 보이더니 뱃조각이 뭍에 닿았다. 춘백이 엎드려 기어 나가 정신을 차려 살펴보니 바위 위에 몇 칸 안 되는 초가집이 있는데 그 안에 백발노인이 앉아 있었다. 넘어지고 자빠지며 들어가 재배再拜하면서,

"노인은 뉘십니까? 화란과 변고를 당한 사람을 구제해 주십시오."

하니 그 노인이 말하였다.

"나는 바닷가에서 물고기를 잡는 늙은이입니다."

하며 음식을 주었다. 춘백은 무엇인지도 모르고 허겁지겁 먹어 기갈飢渴을 면하였다.

드디어 춘백이 정신을 차려 말하기를,

"천만 번 죽을 목숨이 겨우 살아났으나 여기가 어딘 줄도 모르겠습니다."

하니, 노인이 말하였다.

"이 곳은 과연 중국 땅입니다. 내 이름을 안다 해도 쓸 데가 없고, 또 하룻밤 쉬어 가는 것을 어찌 은혜라 할 수 있겠습니까?"

하고 공중으로 훌쩍 솟아올라 날아가 버렸다. 춘백이 일어나 자세히 살펴보니 완연한 노인이 거친 베로 짠 가사를 입고 육환장六環丈[35]을 짚고 떠나가고 있었다.

---

35) 육환장六環丈 : 여섯 개의 고리가 달린 지팡이.

춘백이 다시 살펴보니 몇 칸 안 되는 초가집은 간 곳이 없었고 바위 위에 있던 소나무 정자도 없어지고 말았다. 마음에 놀라워하며 다시 곰곰이, '아마도 천불암 부처님이 나를 여기에 인도하여 살려주셨는가 보다.'라고 생각하였다.

또 생각하기를, '이 곳이 과연 중국 땅이라면 고향으로 돌아가기가 아득할 것이다. 차라리 이 길로 여남 소주 조상서 댁을 찾아 들어가 장인과 사위 된 사연이나 말하고 조부인의 기별이나 전해야겠다.' 하였다.

이에 춘백은 바위투성이인 산 사이로 난 작은 길을 찾아 겨우겨우 걷고 또 걸어갔다. 가다가 혹 이름난 산의 빼어난 경치를 구경하기도 하고 혹은 사대부가의 벼슬하는 집을 찾아가 글도 짓고 글씨도 써주기도 하였는데, 금은보화를 주는 사람들도 많았다. 그러나 헤어진 조부인과 설랑을 생각하면 가슴이 막막하고 정신이 울울해서 세상만사에 귀한 것이 없었다.

그러던 어느 날 마침내 춘백은 여남 소주 땅에 들어가 조상서 댁을 찾아갔다. 깊숙한 골짜기에 높다랗게 지은 누각과 단청으로 채색한 전각殿閣이 빛나고 있었는데, 사방의 풍수와 지리를 살펴보니 천만 길이나 되는 봉황산은 주릉이 되어 있었고, 물가에 버들가지가 푸릇푸릇 늘어져 있는 백마강[36]은 안내가 되어

36) '백마강', '백화강' 등 다양하게 표기되어 있는데, 백마강으로 통일하였다.

있었다. 또 조상서 댁 동편에는 화원이 있었고 서편에는 죽림竹林이 있었다.

중문에 들어가 통자痛刺[37]를 청하니 조상서가 막 설월루에 올라 봄 경치를 구경하다가 나와 맞이하였다.

춘백이 두 번 절하고 물었다.

"이 댁이 조상서 댁입니까?"

"과연 그렇습니다만, 존빈尊賓[38]께서는 성명을 뉘라 하시며 사는 곳은 어디십니까?"

"저는 조선국 강릉 사람이옵고 성명은 이춘백이라 합니다."

"조선국에 사시면 관계 되는 것이 무엇이기에 저의 집을 물으셨으며 무슨 일로 중국에 와 계십니까?"

"운수가 불행하여 고국을 떠나 정처 없이 이리저리 떠돌아다니다가 중국에 들어와 상서 댁의 높은 명성을 듣고 찾아왔습니다."

"저희 집 선성先聲[39]이 무엇이 그리 높아 다른 나라의 존귀한 손님이 찾아오시겠습니까?"

이렇게 두 나라의 옛 이야기를 서로 주고받으면서 춘백이 겉으로는 아무렇지 않은 듯 자연스럽게 행동했으나 속으로는 조부인을 생각하며 조부인에 대해 말하고자 하였다. 그러나

---

37) 통자痛刺 : 명함을 통함, 명함을 줌.

38) 존빈尊賓 : 손님을 높여 부르는 말.

39) 선성先聲 : 전부터 널리 알려진 명성.

'믿을 만한 자취나 표시로 삼을 만한 흔적이 없으니 말한들 어찌 알겠는가'라 생각하였고, 또 처음 만나 손님과 주인의 예의를 차리는 처지에 상서의 마음이 어떠한지 모르면서 조부인에 대해 말할 수도 없어서 모르는 척하면서 천연덕스럽게 상서에게 물었다.

"다른 나라에서 태어난 천한 제가 존귀하신 상서 댁에 와서 여러 날 묵었습니다. 그 사이 주인이 손님을 대접하는 예의가 특별하시니 무슨 말을 하지 못하겠습니까? 감히 묻겠습니다만 상서께서는 형제는 몇 분이시며 자제는 몇 남매를 두셨습니까?"

상서가 말하였다.

"저는 본래 오형제였습니다만 지금은 저만 살아있사옵고, 자식은 삼남매를 두었는데 두 아들은 이미 장가를 들었으나 딸아이는 벌써 죽고 없습니다."
하고 얼굴에 좋지 않은 기색을 띠었다.

춘백이 그 말을 듣고 감히 다시는 이야기하지 못하고 다만 마음만 슬프고 아파서 홀로 설월루에 올라 자연의 경치만 구경할 뿐이었다. 이에 슬픈 마음이 울컥 들어 한숨이 절로 나고 한 곡조의 노래가 절로 나왔다.

무정하구나, 저 꽃과 버들이여.
봄빛이 예전과 같으니 화전놀이함 직하나
뉘와 더불어 논단 말이냐.

무정하구나, 저 꽃과 버들이여.
북해로 통하던가
일엽편주 위태하도다.

노래를 그치고 미친 듯하고 취한 듯한 마음을 이기지 못하여 여기저기 다니며 배회하니 상서는 그 속내를 모르고 대수롭지 않게 들을 뿐이었다. 춘백이 어찌할 수 없어 석 달을 머무르고 떠날 때, 주인과 손님 사이에 서로 안타까워하며 그리워하는 마음 그지없었다.

춘백이 조상서의 집을 떠나 사방으로 두루 돌아다니다가 여남 자개봉이 명승지라는 말을 듣고는 자개산을 찾아 들어갔다. 자개산을 들어가니 십 리의 깊은 골짜기 안에 높고 험한 여러 층으로 이루어진 낭떠러지가 있고 그 위에 바위 무늬가 흐릿하게 펼쳐져 있었다. 또 아름답고 고운 꽃과 풀이 좌우에 만발하여 있어 춘백은 그 사이를 구경하며 안으로 들어갔다.

그런데 한 노인이 갈포葛布[40]로 만든 두건을 쓰고 도사가 입는 의복을 입고는 하얀 새의 깃털을 모아 만든 부채를 부치면서 바위 위에 높이 앉아 노래를 부르고 있었다. 자세히 들어보니 그 노래는 이러하였다.

---

40) 갈포葛布 : 칡의 섬유로 짠 베

만리타국에 저 소년아, 너의 행색이 괴이하구나.
삭옥봉 강릉추월 옥퉁소는 어디에 두었느냐.
사대부의 자제로서 공명도 이루려니와
해주로 돌아올 때 부인은 어찌 하였느냐.
옥문동 연분을 그새 잊었느냐.
봉황산 백마강에는 무슨 일로 갔다오느냐.

노래를 그치고는 훌쩍 떠나가거늘 춘백이 급히 그 뒤를 따라가니 띠풀로 엮은 몇 칸 안 되는 집이 맑고도 깨끗하게 자리하고 있었고 안에는 그 노인이 칡으로 만든 자리를 깔고 앉아있었다.

춘백이 그 집에 들어가 재배하고 무릎을 당겨 단정히 앉아 말하였다.

"이같이 깊은 산속에서 어르신을 만나 뵙게 되니 반갑사옵니다. 알지 못하겠습니다만, 존호를 뉘라 하시나이까?"

노인이 말하였다.

"잠시 지나는 속세의 나그네가 무엇이 반가우리오? 또 초면에 잠깐 만나는 것이니 이름 알아 무엇 하겠는가?"

춘백이 말하였다.

"먼 지방의 하찮은 제가 어르신 앞에 억지로 묻는 것이 지나친 일이어서 참으로 황공하옵니다마는 아까 그 노래는 무슨 노래입니까?"

노인이 말하였다.

"그 노래 그대의 일과 같으니라. 물어서 무엇 하려고 그러느냐? 그대 신세가 지극히 불쌍하니 내게 잠시 머물러라."

춘백이 아주 다행스럽게 여겨 노인과 더불어 날마다 하는 일 없이 세월을 보냈다.

그러던 어느 날 노인이 어떤 책을 내어주며 말하였다.

"남아가 세상에 태어났으면 글을 배워야 하느니라. 그대가 이 책을 열심히 읽으면 사람의 앞날을 알 수 있을 것이고, 혹 쓸 데도 있을 것이니라."

춘백이 받아보니 천문지리와 육도삼략六韜三略[41]이었으니, 곧 손오孫吳[42]의 병법이오 황석공黃石公[43]이 감추어둔 신묘한 계책이었다.

또 그 노인이 칼을 주며 말하였다.

"검무劍舞와 검술을 닦는 일은 대장부가 해야 할 일이니라. 그대 이곳에 있으면서 아무 할 일이 없으니 이것이나 공부하

---

41) 육도삼략六韜三略 : 중국의 병서兵書. 『육도』와 『삼략』을 아울러 이르는 말이며 중국 고대 병학兵學의 최고봉인 '무경칠서武經七書' 중의 2서書. 『육도』의 도韜는 화살을 넣는 주머니, 싸는 것, 수장收藏하는 것을 말하며, 변하여 깊이 감추고 나타내지 않는 뜻에서 병법의 비결을 의미한다. 문도文韜 · 무도武韜 · 용도龍韜 · 호도虎韜 · 표도豹韜 · 견도犬韜 등 6권 60편으로 이루어져 있다. 『삼략』의 략略은 기략機略을 뜻하며 상략上略 · 중략 · 하략의 3편으로 이루어져 있다.

42) 손오孫吳 : 중국 고대의 병법가인 손자孫子와 오자吳子. 그들의 병서를 『손오병법孫吳兵法』이라고 함.

43) 황석공黃石公 : 중국 진나라 말엽의 은사隱士 · 병법가兵法家로 장량에게 병서를 전하여 주었다고 함.

여라."

춘백이 받아보니 그 칼에 대장부 보신물保身物[44]이라 새겨져 있었으며 칼 이름은 '풍운조화용문검風雲造化龍文劍'이라 하였다. 이리하여 춘백은 낮에는 책을 읽고 밤에는 검술劍術을 익히며 세월을 보냈다.

각설却說[45].

이때 조부인이 도적의 환란과 재액을 당한 뒤 경황불각간에 겨우 정신을 차려 살펴보니 남편은 간 데 없고 다만 설랑과 둘이 도적의 배안에 앉아 있었다. 이윽고 도적이 배를 몰아 한 섬의 둑에 닿았는데, 도적들이 집으로 들어가며 여러 계집들로 하여금 조부인과 설랑을 억지로 끌고 들어가게 하였다. 두 여인이 강약强弱이 같지 않아 속절없이 끌려들어가 어떤 방에 들어가니, 여러 계집들이 둘러앉아 여러 가지 말로 달래며 말하였다.

"부인은 잠깐 참으시고 먼저 진정하십시오. 부인의 가군은 이미 죽었으니 생각 마시고, 돌아갈 방법도 없으니 괜한 고민도 쓸 데 없습니다. 차라리 이곳에 있으면 우리들이 부인을 위로하여 헌걸찬 대장부를 선택하여 줄 것이니, 다른 말 마시고 우리의

---

44) 보신물保身物 : 몸을 보전하게 하는 물건.
45) 각설却說 : 화제를 돌리거나 딴 말을 꺼낼 때 첫머리에 쓰는 말.

말을 들으십시오."

조부인이 분함을 이기지 못하여,

"너희만한 년들이 양반 앞에 그러한 욕설을 하느냐? 가히 너 같은 년들은 죽여 용서하지 않으리라."

하였는데, 그 계집들이 서로 돌아보며 말하였다.

"부인은 큰 소리 치지 마시오. 이곳에도 잘난 대장부가 많고 좋은 의복도 있으며, 보배로운 물건도 많이 있으니 이곳 사람이 된다면 무슨 근심이 있으리오. 이제 부인의 신세를 돌아보시오. 조롱에 갇힌 새의 신세요 그물에 걸린 고기이니, 백 번을 생각해 봐도 달아날 방법이나 대책이 없을 것이오. 하늘로 올라가겠소, 땅으로 들어가겠소. 아니면 강을 넘어가고 바다를 건너갈 수 있겠소. 잔말 마시고 순종하시오."

부인이 분한 마음이 더욱 하늘을 찌를 듯이 솟아올랐지만, 죽어도 그 계집들의 말처럼 할 수 없었기에 다만 소리를 높이 질러 꾸짖어 말하였다.

"하늘과 땅 사이에 삼강三綱이 변하지 아니하니 나의 마음을 누가 능히 굽힐 수 있으리오."

이어 방안에 놓여 있던 쇠화로를 휘둘러 세차게 내리치니 그 계집들이 뛰어 나가면서 여장군呂將軍을 불렀다. 이 여장군이라 하는 놈은 본디 장사壯士인지라 그것을 보고 문 밖에 와서 웃으며 말하였다.

"부인의 마음에 간혹 저렇게 말하기는 보통 있는 일이니,

너무 상하게 하지 말라. 내가 이따가 들어가리라."
하고 문을 잠그니, 부인이 설랑을 부여잡고 울며 말하였다.

"망극하구나, 우리 팔자여! 이런 곤경을 그 뉘라서 알리오. 분하고 분하도다. 천지 사이에 지극히 곤궁한 처지에 놓여서 흉악한 욕설을 내 귀로 듣고, 살아서 무엇 할꼬? 하물며 우리 낭군은 이미 죽었으니 나도 죽어 마찬가지로 혼백이 되어 낭군을 따르리라. 또 발등에 불이 떨어진 것처럼 급박하니 어찌 오래 거처할 수가 있으리오."

곧이어 겹으로 된 수건으로 목을 매니 설랑이 또 조부인을 붙들고 함께 죽읍시다하고 마찬가지로 목을 매었다.

이때 갑자기 잠긴 문이 소리 없이 저절로 열리며 난데없이 여승이 자취도 없이 들어와 목에 맨 수건을 풀어주었다. 그러고는 다시 조부인의 손을 이끌어 밖으로 인도하여 나갔는데, 마치 그림자처럼 지나가서 귀신도 알아채지 못할 정도였다. 잠깐 사이에 물가에 이르러 배에 오르게 하고는 그 여승이 삿대를 저어 나는 듯이 나아가 잠시 뒤에는 뭍에 내렸다.

부인이 일어나 귀신에게 홀린 것처럼 정신없이 나와 앉았다가 여승 앞에 엎드려 말하였다.

"선사禪師는 진실로 사람을 살려주신 부처님 같습니다. 어느 절에 계십니까? 은덕을 생각하면 백골이 진토 되어도 잊기 어렵습니다."
하고 올려다보니 여승이 백팔염주를 손에 쥐고 공중으로 걸어

가면서 말하기를,

"수만 금 실은 배를 잃었다고 한탄하지 말라. 네 목숨이 살아난 것도 하늘이 내리신 행운이니라. 네 몸에 남아 있는 액운이 아직도 멀었도다."

하고 간 곳이 없었다.

부인이 그 말을 듣고 놀라 '아마도 천불암 부처님이 우리를 살렸나보다.' 하고 생각하였다. 또 '아직도 남아 있는 액운이 있다고 하니 어찌 하리오? 차라리 이 바다에 빠져 죽어 맑고 순결한 혼이 되어 우리 남편의 혼백을 따라 고향으로 돌아가는 것이 나을 것이다.' 하며 설랑과 더불어 처량하게 울며 바닷가의 여기저기를 오락가락하였다.

부인이 다시 곰곰이 생각하되, '이공李公은 이미 죽었으나 뱃속에 든 자식이 있으니 몸을 보존하였다가 천행天幸으로 남자를 낳으면 남의 집 후사後嗣를 이으리라.' 하고 강릉 산천을 바라보며 길을 떠났다.

조부인이 어떤 곳에 다다라 길을 잃어 사람이라고는 전혀 찾아볼 수 없는 곳으로 들어갔더니 좌우에는 겹겹이 푸른 산들이 둘러싸고 있고 아름답고 고운 꽃과 풀들이 골짜기에 모셔놓은 듯이 지키고 서 있었다. 또 수백 길이나 되는 바위 사이에서 폭포수가 떨어지는데 그 사이로 해가 어둑어둑 지고 있어서 사람으로 하여금 더욱 더 고향을 그리워하게 하였다.

조부인이 어디로 갈 지 몰라 여기저기를 부질없이 오락가락 하였는데, 바위 사이 폭포수 위로 나뭇잎이 떠오는 것이 보였다. 그 잎을 주어서 살펴보니 '선학仙鶴이 보송하步松下 하니 채란이 오리라.'는 글귀가 적혀 있었다. 이것은 신선이 타고 노는 학이 소나무 아래를 왔다갔다 하니 채란이 바삐바삐 급한 걸음으로 온다는 뜻이었다.

조부인은, '세상에 괴이한 일이로구나. 채란은 내 이름인데, 누가 내 이름을 알고 이런 글을 썼을까?' 하면서 백 번 의아해 하며 꽃이 잔뜩 피어 있어서 신선이 살 것 같은 골짜기로 올라갔다.

그곳에 한 노인이 소나무 숲 속에 앉아 먼 산을 바라보며 노래를 하고 있었는데, 자세히 들으니 그 노래는 다음과 같았다.

> 먼 곳에서 오는 사람, 행색도 쓸쓸하네.
> 여자의 몸으로 저 걸음이 웬 일인가?
> 백마강 화전 놀던 그 때 행색 그랬더니
> 지난 날 옥문동의 일은 부모님이 시켰던가.
> 부모를 이별하고 타국에 와서는
> 슬픈 생각만 하면 불효를 면하겠나?
> 해주에서 돌아올 때 낭군을 잃었으니,
> 적굴에서 살아난 건 시주 공덕 아닐런가?
> 슬프다, 조채란아!
> 너 혼자 돌아가서 시부모님 뵙는다면,

무슨 면목 있으랴, 무슨 면목 있으랴.
네 차라리 산속에 들어가 몸을 감추어라.
앞으로 가면 또 어떤 액운이 있을 테니.
이 길로 나아가 백학산에 들어가면
절로 구할 사람 있으리라.

조부인 이 노래를 듣고 한편으로는 놀라고 한편으로는 또 감탄하면서 슬픈 마음을 이기지 못하여 눈물만 흘리며 처량하게 울고 말았다. 그러다 다시 곰곰이 생각하니, '이 노래의 말이 옳도다. 내 무슨 면목으로 혼자 강릉으로 돌아가리오. 또 험악한 일이 앞길에 있다 하니 놀란 마음이 또 놀랄까 두렵구나. 이 산이 과연 백학산이면 분명 구할 사람이 있을 것이라 하였으니 그를 찾아가 보리라.' 하고 숲길을 헤치며 점점 들어갔다.

들어갈수록 푸른 산빛은 울창해져가고 나무는 하늘을 찌를 듯이 높이 솟아 있었는데, 그 사이로 시냇물은 잔잔하게 흘러가고 새들이 슬피 울고 있어 식어버린 재처럼 의기소침한 마음을 가눌 길이 없었다.

조부인이 푸른 벼랑 사이로 들어가니 현판에 백운암이라 써 붙인 한 암자가 있었다. 들어가 살펴보니 스님은 없고 비구니 하나가 맞아들이며 절을 하였다.

"존귀하신 부인이 어찌 이같이 누추한 곳에 외람되게도 왕

림하셨습니까? 노승이 산문에 나가 맞지 못하였으니 죄송합니다."

부인이,

"나 같은 사람을 대하여 어찌 이러한 말씀을 하십니까?"

하고 산문에 들어가니 켜켜이 쌓인 서글픈 심정을 비할 데가 없었다.

이윽고 이래저래 여러 날을 편히 쉬니 불행한 가운데 다행이었다. 조부인이 부처님께 축원하며 불공을 올리고 앉아 있으니 여승이 말하였다.

"어떤 노인이 저 푸른 절벽 사이로 지나가며 하는 말이, '부인이 동구洞口에 들어올 것이다.' 하였습니다."

"그 노인은 뉘십니까?"

이 말에 대답하지 않고 여승이 말하였다.

"부인은 어디에 계시는 분이며 무슨 일로 얼굴이 이다지 초췌하십니까?"

조부인이 말하였다.

"나는 강릉 이감사댁 실내室內[46]로서 해주에 갔다가 집으로 오는 길에 바닷가 도적을 만나 가군을 잃고, 완악한 제 목숨이 살아갈 방도를 몰라 지향 없이 가다가 이곳으로 들어오게 되었습니다."

46) 실내室內 : 남의 아내를 점잖게 이르는 말이나, 여기서는 부인이라는 의미로 쓰였음.

여승이 말하였다.

"불쌍하도다, 부인의 신세여! 이렇게 되었으니 고향으로 가고자한들 어찌 갈 수 있겠습니까. 차라리 이곳에 나와 함께 있으면서 세월을 보냅시다. 또 머리를 깎고 중이 되시어 신령하신 부처님 앞에 소원이나 빌어봅시다."

조부인이 옳게 여겼으나, 머리를 깎고 중이 될 일을 생각하니 마음이 아득하였다. 이에 설랑의 손을 잡고 아무 말 없이 서로 쳐다보며 한참을 생각하다가 눈물을 흘리며 마지못하여 허락하였다.

여승이 머리 깎는 칼을 가지고 와서 조부인과 설랑의 앞에 나와 앉아 두 사람의 머리를 깎으니 조부인과 설랑의 처량한 울음소리에 시냇물도 목이 메는 듯하고 푸른 산도 어둑어둑해지는 듯하였으며, 해와 달조차 빛을 잃는 듯하였다.

그 여승이 이윽히 보다가 위로하며 말하였다.

"사람의 팔자는 속이지 못합니다. 이미 이같이 되었으니 너무 슬퍼 마십시오. 부처님께 들어가 지극한 정성을 가지고 발원하시오면, 고생 끝에 보람과 즐거움이 다시 돌아오는 것은 세상에 항상 있는 일입니다."

그 여승의 승명은 운수당인데, 운수당은 조부인에게 난허당이라 승명을 지어주고 상좌를 삼았고, 설랑에게는 설월당이라 승명을 지어주고 난허당의 상좌가 되게 하였다. 각각 승복을 차려 입고 백팔염주를 목에 걸고 가사를 걸치고는 부처님 앞에 나아가 아침 점심 저녁마다 소원을 빌었다.

하루는 난허당이 갑자기 마음이 어지럽고 뒤숭숭하며 슬픔을 이길 수가 없어서 설월당 운수당과 함께 자하대에 올라가 원근의 산천을 바라보며 하염없이 배회하였다. 이때 한 노인이 붉은 구름을 타고 지나다가 봉투에 넣은 한 통의 편지를 주며 말하기를,

"백학산 백운암에 있는 조부인에게 주어라."

하고 떠나갔다.

난허당이 자세히 보니 예전에 자신을 백운암으로 인도하였던 그 노인이었다. 마음에 괴이하게 여겨 그 때 바로 누구인지 물어보지도 못하고 봉한 편지를 열어서 보았다. 편지 첫머리를 보니 바로 강릉 이춘백이 여남 조상서댁 설월루에서 지은 노래였다. 노래 가사를 다시 보고는 놀랍고 두려운 마음에 낯빛마저 변하며 말하였다.

"이 노래는 우리 이공의 노래로다. 편지의 겉봉에 서해 용궁에서 준다고 적어 놓았으니 물에 빠져 죽었단 말이 옳도다. 그런데 설월루는 우리 친정집 누각이니, 서해 용궁에도 설월루가 있는가? 알지 못하겠구나. 그러나 서해에 빠져 죽은 사람이 여남 설월루에 갈 일은 만에 하나라도 없는 일일 것이다."

하고 이공을 마주한 듯 비 오듯 눈물을 쏟으니, 일촌간장一寸肝腸[47]이 마디마디 놀란 듯하였다. 운수당과 설월당도 같이 슬퍼

하며 서로 붙들고 위로하였으며, 난허당이 잇따라 한숨짓고 노래하였다.

슬프다, 이공의 영혼이여, 영험이 있는가.
설월루 노래 곡조는 꿈에도 생각지 못하였도다.
백운암을 어찌 알고 다정한 노래를 보냈는고?
지나가던 그 노인은 선관인가 도사런가?
이내 마음 산란하니 이내 노래도 전해주소.

조부인은 노래를 다한 뒤에 눈물을 뿌리고 돌아와서 부처님 앞에 향불을 피우고 백 번 절하며 발원發願하였다.

그래저래 몇 달이 지나갔다. 그 사이 잉태한 지 열 달이 지나 조부인이 혼미한 가운데 아이를 낳으니 활발하고 의젓한 기남자奇男子였다. 강보襁褓[48]에 쌓인 어린 아이에 불과했지만 그 용모는 완전히 이공과 같았다. 이름을 백학산 백운암에서 따와 운학이라 하였는데, 조부인은 마음에 더욱 슬퍼 눈물로 세월을 보내었다.

그러나 스님이 사는 절간에서 계속 아이를 기를 수는 없었다.

---

47) 일촌간장一寸肝腸 : 한 토막의 간과 창자라는 뜻에서 애가 탈 때의 '마음'의 비유.

48) 강보襁褓 : 포대기, 어린아이를 덮어주거나 깔기도 하며 업을 적에 둘러 대기도 하는 작은 이불.

하루는 운수당이 말하였다.

"산속의 절집은 속세의 가정과는 다릅니다. 애기를 여기에서 기를 수 없사오니 아무리 사정이 절박하다고는 하나 어쩔 수 없습니다. 동구 밖에 서역국이라 하는 사람이 있는데 매번 자식이 없음을 한탄하니 그 사람에게 수양자收養子[49]를 주면 좋을 듯합니다."

난허당이 한숨짓고 한참 동안 생각하다가 마지못하여 허락하였다. 이어 서역국을 불러 신신당부하고 애기를 주니 서역국도 또한 좋아하며 데려다가 자기가 낳은 아이처럼 애지중지 길렀다. 이때 운학의 나이 세 살이었는데 얼굴이 형산백옥荊山白玉[50] 같아 보는 사람마다 귀하게 여기고 칭찬해 마지않았다.

하루는 운학이 겨우 걸음을 배워 거리에 나가 놀다가 간 곳 없이 사라져 버렸다. 서역국이 사방으로 찾았으나 종적이 묘연하였다. 길을 지나가는 사람에게 물어보았으나 아는 이가 없었으며, 이웃사람들에게 운학을 찾아주신 분에게는 후한 값을 주리라 하며 부탁도 해보고 바닷가나 산골짜기를 두루두루 찾아보았으나 보았다고 하는 사람도 없고 찾았다고 하는 사람도 없었다.

서역국 부부가 서로 탄식하며 말하였다.

---

49) 수양자收養子 : 다른 사람의 자식을 맡아서 자기의 성을 주어 제 자식처럼 기르는 아이.

50) 형산백옥荊山白玉 : 중국 형산에서 나는 백옥이란 뜻으로 '보물로 전해오는 흰 옥돌'이라는 말, 뜻이 바뀌어 현량賢良한 사람의 비유로 쓰임.

"불쌍하구나! 우리 운학을 어디 가서 찾는단 말이냐? 바닷가에 나갔다가 물에 빠져 죽었는가, 깊은 산골짜기에 들어가서 짐승에게 당하였는가? 이같이 답답한 일이 어디 또 있단 말이냐? 저의 얼굴도 아깝거니와 사람의 목숨이 불쌍하구나.

슬프다, 우리 팔자여. 어이하여 이렇게 험악한고? 평생에 자식 없이 지내다가 우연히 얻은 자식을 천금같이 길러서 후사를 전하려고 하였더니 그도 저도 아니 되니, 슬프다, 고금천지古今天地에 내 팔자 같은 사람이 어디 있으리오.

내 팔자도 그러하지만, 무상無常[51]하구나. 무슨 면목으로 난허당을 대하여 보겠는가. 난허당이 이 말을 들으면 그 모양 오죽 할까? 자식을 잃었다고 가르쳐주기도 난처하고 안 가르쳐주기도 난처하다. 이같이 답답한 일이 어디에 있을꼬?"

천만 번 머뭇거리고 망설이다가 할 수 없이 백운암으로 들어가 앞뒤의 일을 모두 말하니 운수당과 설월당은 목석처럼 앉아 아무 말도 못하고 난허당은 앉아 울면서,

"저 노인께서 우리 운학이를 데려다가 천금같이 귀하게 키워 제도濟度[52]한다고 너무 좋아하여 내게 와서 희롱하시는 것입니까? 없다고 하면 뉘가 곧이듣겠습니까?"라고 하였다.

---

51) 무상無常 : 나고 죽고 흥하고 망하는 것이 덧없음.

52) 제도濟度 : 부처의 도道로써 일체一切 중생衆生을 생사生死 번뇌의 고해苦海에서 건져 성불成佛 해탈解脫하는 피안彼岸인 극락세계로 인도하여 줌.

서역국이 더욱 낯빛이 변하여 다시 아무 말도 못하고 눈물만 흘리고 앉아있으니, 난허당이 그제야 그 거동을 보고 참말인 줄 알고 천지가 아득해지고 목이 막혀 가슴을 두드리며 방성통곡放聲痛哭[53]하였다.

"불쌍하다, 운학아. 네 모습 어디로 갔느냐. 살아는 있느냐. 네가 정말 죽었으면 그 목숨도 불쌍하거니와 내 신세는 어찌 할꼬? 네가 혹 살아 있으면 이처럼 종적이 묘망渺茫[54]하겠느냐? 어디 가서 찾는단 말이냐?

슬프다, 내 팔자야. 이럴 줄을 어찌 알았을꼬? 전생에 끼친 액운인가, 그 또한 원수로다. 화전놀이 나갔다가 바람과 파도를 만나 부모님과 이별했고, 바닷가에서 노략하는 도적을 만나 가장마저 잃었도다.

잔인한 이내 목숨 차마 죽지 못한 것은 이씨의 한 줄기 혈육이 내 뱃속에 남아 있었기에 천행으로 길러내어 원통한 이씨 혈맥을 세상에 전하자는 것이었는데, 이제는 어찌해야 할 것인가? 조물주가 시기하는 것인가, 황천皇天[55]도 야속하구나.

슬프다, 설랑아. 너는 나만 믿었고 나는 겨우 얻은 운학 하나를 믿었더니, 불쌍하구나, 운학이 죽은 뒤에 혼자 살아 무엇 하며 나까지 죽는다면 넌들 혼자 살아 무슨 면목으로 고향을

---

53) 방성통곡放聲痛哭 : 목소리를 놓아 몹시 크고 섧게 욺. 방성대곡放聲大哭.
54) 묘망渺茫 : 넓고 멀어서 바라보기에 아득함.
55) 황천皇天 : 크고 넓은 하늘, 하느님.

간단 말이냐?

슬프다, 나는 죽을지라도 너만은 죽지 말고 내 죽은 시신을 이 산속 아주 맑고 깨끗한 곳에 묻어두고 인혼引魂[56]도 해주고 초혼招魂[57]도 하여 고향에 돌아가서 우리 시부모 앞에 이 사정을 아뢰어라."

하면서 설월당과 서로 안고 구르며 너무나도 슬퍼하였다.

운수당과 서역국이 그 참혹한 모습을 보고 같이 슬퍼하다가 난허당과 설월당을 붙들고 백 가지 말로 위로하였으나 그 두 사람은 가슴 속이 꽉 막혀 정신을 잃고 말았다.

서역국이 다시 잘 알아듣도록 타일러 말하였다.

"하느님은 무심치 아니하시니 설마 난허당의 몸과 목숨이 이처럼 꽉 막히게 하시겠으며, 이씨의 혈맥이 끊어지게 하시겠습니까? 또 운학의 용모와 골격이 일찍 죽을 사람도 아니고 비명非命에 죽을 사람도 아니니, 분명히 어느 곳에 살아 있을 것입니다. 엎드려 바라건대 난허당은 한때의 아득한 슬픔 때문에 마음을 너무 상하지 마시고 몸과 목숨을 보존하시어 후일을 기약하시옵소서."

하고 돌아갔다.

---

56) 인혼引魂 : 죽은 혼백을 좋은 곳으로 끌어줌.

57) 초혼招魂 : 죽은 사람의 혼을 불러들임. 사람이 죽었을 때, 그 사람이 생시에 입던 저고리를 왼손에 들고 오른손은 허리에 대어 지붕에 올라서거나 마당에서 북쪽을 향해 '아무 동네 아무개 복復'이라고 세 번 외치는 일.

이때에 운남도 도적이 달아난 조부인의 행방을 탐문하러 다니다가 마침 운학의 비범한 용모와 활달한 거동을 보고 기특하게 여겨 몰래 데려다가 자식으로 삼아 자기 자식처럼 거두어 길렀다. 이 도적의 이름은 장수백이라 하였는데, 운학의 이름을 고쳐 장해선이라 하였다. 슬프다, 운학이 세 살 어린 아이로 자기의 성명이 바뀐 줄을 어찌 알겠으며, 또한 장수백이 저의 부모가 아닌 줄 어찌 알았겠는가?

세월이 물같이 흘러 운학의 나이 열다섯이 되었는데, 골격이 준수하고 용모가 맑고 아름다웠으며, 재질이 명민하여 배우지 않아도 문장을 지을 수 있었다. 장수백이 지극히 사랑하여 저와 같은 도적 가운데서 일등의 규수를 택하여 장가를 보내니 처부妻父의 이름은 여천추였다.

천추도 또한 사위를 사랑하여 하루는 옥퉁소를 내어주면서 사위에게 말하였다.

"이 옥퉁소는 우리 집에 대대로 전해오는 보물이다. 나는 아무리 불어도 소리가 나지 아니하니 자네가 한번 불어보아라. 소리가 나는가?"

이에 해선[운학]이 피리를 받아서 불어보니 맑고 아름다운 소리가 나거늘 사람들이 이상하게 생각하였다. 슬프다, 해선은 이 옥퉁소가 제 부친의 것인 줄 어찌 알았겠으며, 여천추가 저의 부모를 해치고 탈취한 재물인 줄을 어찌 알았으리오? 해선은 이 옥퉁소를 얻은 뒤로 날마다 퉁소를 불며 세월을 보냈다.

이때 마침 나라에 경사가 있어 특별히 과거를 열었는데, 해선도 여기에 응시하기 하기 위해 행장을 꾸리고는 지나가는 배를 잡아타고 경성으로 떠났다. 그런데 이 배가 돛대를 세우고 바다 한가운데로 나오다가 갑가기 거센 바람과 파도를 만나 바람 속에 흔들리며 표류하였다.

해선은 정신을 잃고 자기가 있는 곳이 어딘 줄도 모르더니 천신만고 끝에 바람이 잦아들며 배가 한 곳에 닿았다. 해선이 배에서 내려 보니 푸른 산이 깊고 빼어나며 땅의 정기가 수려하였다. 우선 반가운 마음에 마을을 향하여 들어가니 높고 크게 지은 집이 한 채 있었다. 날도 저물고 갈 길도 막혀 그 집으로 들어가니 중문이 단단히 잠겨 있고 외당도 고요하고 적막하였다. 해선이 마루 위에 올라가 문을 열라고 두드리며 큰 소리로 불렀더니, 시비侍婢 하나가 나왔다.

"어떠한 손님이신지 모르겠으나, 이 집 주인은 아무도 없습니다."

해선이 말하였다.

"나는 먼 지방에 사는 사람이니라. 과거를 보러 가는 중인데, 여기는 어디라 하며 이 댁은 무엇이라 하며 또 주인은 어디를 가셨느냐?"

시비가 말하였다.

"이곳은 강릉추월이라 합니다. 이 댁은 이감사李監司 댁이옵더니 십년 전에 황해감사로 부임하여 가셨다가 돌아오시는 길에 사나운 바람을 만나 배가 뒤집혀 돌아가셨다고 합니다."

하면서 해선을 자세히 보고서는 내당에 들어가 대감에게 아뢰어 말하였다.

"밖에 오신 손님이 완전히 우리 집 돌아가신 대감님과 거의 비슷하더이다."

대감이 말하였다.

"세상에는 간혹 얼굴이 같은 사람도 있느니라."

하고 황급히 외당으로 나와 맞아들이면서 말하였다.

"손님의 성명은 뉘라 하시며 또한 어디에 계시나이까?"

해선이 대답하여 말하였다.

"저는 황해도 운남도에 사는 장해선이라 합니다."

"황해도 계시면 십년 전에 황해감사가 벼슬자리를 옮겨가는 길에 배가 뒤집혀서 물에 빠져 죽었다는 말을 들은 적이 있습니까? 내 자식 내외가 그런 일을 당하였는데, 노물老物[58]의 질긴 목숨이 죽지 못하고 여태까지 살았나이다."

해선이 말하였다.

"생의 나이 십오 세인지라 잘 알지 못합니다."

대감이 말하였다.

"내 자식이 죽던 해에 태어났으니 어찌 알겠습니까? 세상에

---

58) 노물老物 : 늙은이가 자신을 낮추어 이르는 말.

야속하게 닮은 얼굴도 있구료. 처음 보고 인사하는 처지에 미안하오나 손님의 면목이 완전히 내 죽은 자식과 같습니다. 오늘 죽은 자식의 면목을 완연히 다시 본 듯하니 슬픈 마음을 이기지 못하겠습니다. 원컨대 이 늙은이의 망령됨을 마음속에 담아두고 생각하여 허물하지 마옵소서."

해선이 말하였다.

"세상에는 간혹 같은 사람도 있나이다."

하고 저녁밥을 먹은 뒤에 누각의 난간에 기대어 서서 사방을 구경하였다.

이때는 이미 황혼이 되어 달이 동쪽 바닷가에서 떠올라 밤빛이 더욱 아름다웠다. 이에 해선이 행장을 끌러 옥통소를 꺼내 한 곡조를 부니 그 곡조가 절로 처량하였는데 듣는 사람의 마음을 감동케 하였다.

대감이 누워 있다가 이전에 듣던 옥통소 소리가 들리거늘, 놀라 허둥지둥하며 일어나 나와서 보니 놀랍게도 강릉추월 옥통소였다. 통소를 어루만지며 눈물을 흘리고 해선에게 물었다.

"이 통소는 어떠한 통소입니까?"

"이 옥통소는 우리 장인 댁에 대대로 전해오는 보물이라 하면서 빙부聘父가 주더이다. 대감께옵서 무슨 일로 이처럼 놀라 허둥지둥하시며 또 어찌 이처럼 슬퍼하면서 묻는 것이옵니까?"

대감이 말하였다.

"세상에 괴이한 일이로다. 이 통소는 죽은 자식이 저 앞산 삭옥봉에 올라가 놀다가 천상의 선관에게 얻은 강릉추월이라는 옥퉁소입니다. 다른 사람은 불어도 소리가 나지 않기 때문에 혼자서만 불었는데, 제 자식이 황해감사로 갈 때에 가지고 간 후로 저와 같이 물에 빠졌습니다. 그 후 어찌 되었는지 몰랐더니 오늘날 다시 볼 줄을 어찌 알았겠습니까? 또한 천상의 선관이 추월이라 새겨서 강릉사람을 주었으니, 어찌 세상에 강릉추월과 같은 옥퉁소가 또 있겠습니까? 알지 못하겠습니다만, 손님의 빙장聘丈은 뉘시며 대대로 전해지는 보물이라고만 들었습니까? 어디서 얻은 줄 모르십니까? 이것은 아무리 생각하여도 우리집 퉁소입니다. 여씨는 강릉사람이 아닌데 어찌 여씨의 퉁소라 하며 어떻게 분명하게 강릉추월이라 새길 수 있었겠습니까? 저처럼 늙은 사람을 위하여 주고 가시옵소서."
하며 눈물을 주룩주룩 흘리며 슬픈 마음을 금치 못하였다.

해선이 그 거동을 보고 또한 슬픈 마음이 절로 솟아나 마음속으로 생각하기를, '이 일이 괴상하도다. 퉁소에 강릉추월이라 새겼으니 반드시 강릉사람의 퉁소요, 천상의 선관에게 얻었단 말이 당연하니 운남도 여씨의 집에 있을 리는 만에 하나라도 없을 것이다. 사람마다 불어도 소리가 나지 아니하니 여씨 집안에 대대로 전해오는 보물이라는 말도 괴상하도다. 또 다른 사람은 불어도 소리가 나지 않는 것이 내가 불면 소리가 나는 것도 괴상하도다.' 하며 주인을 위로하면서 말하였다.

"대감께옵서는 너무 슬퍼마옵소서. 아직은 이 옥퉁소를 주고 갈 수는 없사옵니다. 시생侍生[59]이 돌아가 장인어른께 자세히 물어보고 만일 대감댁 퉁소라면 다시 와서 전해드리겠습니다."

하고 즉시 길을 떠나려 하니, 대감이 서글픈 마음을 진정하지 못하고 돌아갈 때 다시 보기를 신신부탁하였다. 해선은 그렇게 하겠다고 대답하고 경성에 올라갔다.

과거일이 되자 해선은 당당하게 급제하여 달 속에 있는 계수나무 가지를 꺾고 용문龍門[60]에 올라 홍패紅牌[61]를 눌러 잡고 장안대도長安大道[62]에서 사흘간 장원급제의 행차를 이루었다.

이에 임금이 지극히 사랑하시어 황해도어사를 제수하시고 어주御酒 석 잔을 내리셨다. 해선이 마패를 부여 쥐고 역졸을 거느리고 돌아올 때에 천륜이 저절로 작용하여 대감이 전하던 말씀이 생각났다. 이에 어사의 행색을 숨기고 감추고는 강릉으로 들어가서 대감을 찾으니 대감이 벌써 나와 맞이하며 말하였다.

"이번 장원급제는 황해도 장해선이라 하옵기에 반가워하였

---

59) 시생侍生 : '당신을 모시는 몸'이란 뜻으로 웃어른에 대하여 자신을 낮추어 이르는 말.

60) 용문龍門 : 중국 황하 중상류의 물살이 센 여울목. 산서성 하진河津의 북서, 섬서성 한성韓城의 북동에 있는 산악이 대치한 곳으로 잉어가 이곳을 뛰어 오르면 용이 된다는 전설이 있음.

61) 홍패紅牌 : 문과文科의 회시會試에 급제한 사람에게 내어 주던 증서. 붉은 바탕의 종이에 성적 · 등급 및 성명을 먹으로 적었음.

62) 장안대도長安大道 : 장안은 수도, 서울을 말함. 즉 서울 큰 길이라는 뜻.

더니 행색이 어찌 이러하옵니까?"

해선이 말하였다.

"강릉추월 옥통소도 같은 것이 있거늘 장원급제 장해선이도 어찌 동명이인이 없겠습니까?"
하고 여러 날을 머무르고 떠났다.

이때 대감이 말하였다.

"이제 가면 언제 올지 모르고 이 늙은 몸은 죽을 때가 가깝습니다. 그 통소를 주고 가시면 내가 가까이 두고 자식 보는 듯이 보겠습니다만, 물건은 각각 주인이 있다고 하니 달라고 하기 난처하게 여깁니다."

해선이 말하였다.

"제가 돌아가서 단단히 물어 보고 반드시 기별하여 알려드리겠습니다."
하고 전별餞別[63]하였다.

해선은 바로 길을 떠나 먼저 해주로 들어가면서 여러 읍의 일을 차례차례 남모르게 염탐하였다. 한 주점에 들어가니 어떤 사람들이 술을 먹으면서 서로 걱정하면서 말하였다.

"해주는 운남도 도적 때문에 봉물이 마음대로 오가지 못하는구나. 그 놈들을 어찌 하여야 잡을 수 있겠느냐? 세상에 참혹한

---

63) 전별餞別 : 떠나는 사람에게 음식을 베풀어 대접하여 작별함.

일도 있도다. 모년 모일에 강릉의 이감사가 벼슬살이를 옮겨 갈 적에 그 놈들에게 재물을 탈취 당하고 나는 간신히 살아왔노라. 그러니 그 놈들을 잡으면 만백성에게 적선하는 일일 것이다. 이번에 급제한 사람이 운남도 도적의 아들이라 하니 자세히 알지는 못하지만 도적놈의 자식이 급제해서 무엇을 하겠는가?"

어사가 들으니 자신에 대한 말인지라, 이에 생각하기를, '운남도 도적이란 말은 내가 아직 듣지 못한 바이지만, 만약 그렇다면 한심한 일이 아닐 수 없도다. 또 강릉 이감사가 바람과 파도를 만나 배가 뒤집혔다고 하였는데, 저 아전의 말을 들으니 분명한 사실이도다. 이제야 생각해보니 옥퉁소는 진정 이감사의 퉁소요, 그때 탈취한 것이로구나.' 하고, 그들에게 천연덕스럽게 물었다.

"그때 이감사는 죽었는가, 살았는가?"

그 아전이 말하였다.

"깨닫지도 못하는 사이에 갑자기 일어난 일이라 자세히 알 수는 없지만, 당시 모시고 있던 하인들 가운데서도 살아온 사람이 몇 아니 됩니다."

어사가 듣기를 마치고 마음속에 감추어두고는 운남도 도적을 탐문하여 알아내고자 배를 타고 몰래 들어갔다.

마침 어떤 집 마당에 큰 횃불을 놓고 여럿이 모여 앉아 분주하게 말하는 소리가 들렸다. 어사가 나무 사이에 몸을 숨기고 자세히 들으니 도적들이 훔친 물건을 자랑하면서 점고點考[64]하고 있었다.

한 사람이 말하였다.

"자네 아들이 이번에 급제하였다는 소문은 있으나 한 달이 지나도록 어찌 도문到門[65]하지 아니하는고?"

그 도적이 대답하였다.

"이제 자네는 모르겠는가? 세상에 남의 자식이란 것은 다 거짓 것이라네. 어떤 일 때문에 백학산 동구를 지나갈 때 서역국 집 앞에 어떤 아이가 놀고 있었다네. 염탐하여 알아보니 역국의 수양자라 하더군. 살펴보니 거동이 비범하기에 데려다가 내 자식처럼 길렀으니 저인들 어찌 아비가 다른 줄 알리오? 그러나 무슨 마음으로 아직까지 오지 아니하는고? 아마도 남의 자식은 거짓 것인 듯하니 오지 않은들 어찌 하겠는가?"

또 한 도적이 여천추에게 물었다.

"저 사람은 그러하거니와 만일 오지 아니하면 자네 딸은 어이 할꼬?"

이에 여천추가 말하였다.

"자네는 그런 말 하지 마소. 과거에 급제하여 유가遊街[66]하다 보면 자연히 더딘 것이라. 부모와 아내를 두고 어찌 오지 않겠는

64) 점고點考 : 명부에 일일이 점을 찍어가며 사람이나 물건의 수효를 조사함.

65) 도문到門 : 과거에 급제하여 홍패紅牌를 가지고 집으로 돌아옴.

66) 유가遊街 : 과거의 급제자가 광대를 데리고 풍악을 잡히면서 거리를 돌며, 좌주座主 · 선진자先進者 · 친척들을 찾아보던 일. 대개 방방放榜 후 삼일에 걸쳐 했음.

가. 만일 오지 않더라도 우리 무리에게 무슨 상관이 있겠는가. 내 딸은 다른 가문에 다시 시집가면 그만이로다. 그러나 가장 분한 것은 황해도감사의 짐을 빼앗았을 때에 얻은 강릉추월이라는 옥퉁소로다. 그것이 기이한 보배이기로 깊숙이 감추어두었다가 사위라 여겨 주었더니 이제는 잃고 말았도다."

어사가 그 말을 다 듣고 분한 마음이 하늘을 찌를 듯하고 간과 심장이 떨리면서 견디지 못할 듯하였으나 모든 일을 어찌 급하게 처리할 수 있으리오. 먼저 백학산을 찾아 가서 서역국에게 자초지종을 물어 보리라 하고 즉시 그곳에서 나와 주점으로 돌아갔다.

주점에서 자고 다음날 일찍 출발하여 말을 재촉하여 평임역에서 말을 바꾸어 타고 곽화촌을 물어 백학산 동구를 찾아 들어가니 서역국의 주점이 있었다. 반가운 마음을 가누며 들어가 쉬었다가 저녁밥을 먹은 뒤에 서역국을 불러 말하였다.

"심심하니 함께 이야기나 하면서 놉시다."

하였더니 서역국이 들어와 어사에게 절을 하였다.

어사가 겉으로는 산으로 놀러 다니는 사람 행세를 하면서 가깝고 먼 곳 산천이나 명승지를 묻기도 하다가 술과 안주를 청하였다. 주인과 손님이 취하도록 실컷 먹고서는 천연덕스럽게 물었다.

"노인께서는 춘추 얼마나 되셨으며 자제는 몇이나 있습

니까?"

서역국이 처량한 모습으로 탄식하며 말하였다.

"연광年光이 칠십이 되도록 한 점 혈육이 없습니다. 몇 년 전에 강보에 쌓인 남의 자식을 데려다가 제 자식처럼 길렀는데, 세 살이 되어 거리에 놀러 갔다가 잠깐 사이에 간 곳 없이 사라지고 말았습니다. 사방으로 찾았으나 찾지 못하고 지금까지 근심으로 지내고 있습니다. 그 아이 불쌍한 마음을 억눌러 가누지 못하겠습니다."

어사가 이 말을 듣고 마음속으로 슬퍼하면서 말하였다.

"노인의 신명과 운수가 지극히 불쌍하도다. 그런데 수양자는 어떤 사람의 자식이었습니까?"

서역국이 말하였다.

"그 말씀 하자하오니 가슴이 막혀 말을 못하겠습니다."

하고 조금 있다가 한숨짓고 말하였다.

"저 백학산 백운암에 난허당이라 하는 중이 있습니다. 처음 잉태한 채로 머리를 깎고 중이 되었다가 애기를 낳으니 옥동자였습니다. 그러나 절집에서는 기르기가 어려워 제게 수양자로 보낸 것입니다."

"난허당은 본디 어디 사람이라 하더이까?"

"잠시 묵어가는 사람이 그 근본은 자세히 알아 무엇하겠습니까? 왜 자꾸 물어 늙은이의 상한 마음을 더욱 상하게 하십니까?"

"마침 듣고 있으니 그 일이 절절히 슬프고 불쌍하여 듣고자

할 뿐이고, 또 객지고등客地孤燈[67]에 잠은 오지 않고 심심하여 이야기 삼아 묻는 것입니다."

"그 난허당이라 하는 중은 본디 강릉 사는 이감사 아내입니다. 이감사가 황해감사 갔다가 돌아오는 길에 바닷가 도적놈의 환난을 당하였는데, 시비와 함께 간신히 목숨만 건져 달아나서 백학산 백운암에 와서 스님이 되었습니다."

어사가 그 말을 듣고 슬픈 마음을 이기지 못하였다. 가까스로 참고서 잠들고자 하였으나 어찌 한숨이 나지 않겠는가? 묵고 있는 창가에 밝은 달빛마저 비치니 엎치락뒤치락하며 잠을 이루지 못하고 마음도 근심스럽고 어지러웠다. 강릉 본가를 생각하니 눈에 삼삼해서 견딜 수가 없었고, 답답하고 근심스러운 일들이 끊임없이 생각났다.

'오늘밤이 어서 밝아 즉각 백운암을 올라가서 어머님을 만나보면 내 마음이 목석같다고 한들 어찌 온전할 수 있겠는가? 공산반야空山半夜[68]에 무슨 새가 이처럼 슬프게 우는고? 한산사寒山寺[69]는 어디매오, 북소리도 더디도다. 강가 마을에서 닭이 우니 새벽 소식 반갑도다.' 이런저런 생각을 하면서 뜬눈으로

---

67) 객지고등客地孤燈 : 타향 땅의 외로운 등불이라는 뜻으로 나그네의 객수客愁를 비유한 말.

68) 공산반야空山半夜 : 인적이 없는 빈산처럼 적막한 한밤중.

69) 한산사寒山寺 : 중국 강소성江蘇省 소주부蘇州府 풍교진楓橋鎭에 있는 절. 당나라 장계張繼의 〈풍교야박楓橋夜泊〉의 시로 유명함. 이 부분도 이 시를 원용하여 나그네의 잠 못 이루는 심정을 표현한 것임. "月落烏啼霜滿天 江楓漁火對愁眠 姑蘇城外寒山寺 夜半鐘聲到客船"

밤을 새다가 맑은 첫새벽에 일어나 앉아서 옥통소를 슬피 부니 슬픈 마음을 둘 데가 없었다.

통소의 곡조를 마치기도 전에 동방이 밝아오자, 어사는 아침밥을 재촉하여 바삐 먹고 백학산 동구로 찾아들어갔다. 동구에 들어가니 천봉만학千峰萬壑이 구름 걸린 하늘에 솟아 있고 아름답고 고운 꽃과 풀이 동구를 덮고 있어 기이한 향기가 풍겨오고 있었다. 그 사이로 기이한 새소리가 났는데 모두 기기묘묘하였다. 그때 어떤 백발의 노인이 구름 속에서 흰 학을 앞에 놓고 한가히 노래를 불렀다.

백학산은 선경이니 속객 오기 뜻밖이라.
우습도다, 장해선아! 너의 성명 무슨 일로 고쳤느뇨.
슬프다, 이운학아! 환부역조換父易祖[70] 무슨 일고?
그렇게 바꾸었으니 불효를 면할쏘냐?
삭옥봉 강릉추월 네게 올 줄 어찌 알았겠는가?
원수가 도리어 은인恩人이라 할 만하네.
강릉 너의 집을 두 번 가도 못 만났는데
백운암 올라간들 너의 면목 누가 알꼬?
슬프다, 네 어머님 만나보기 어렵도다.
승당僧堂에 우환 있어 채약하러 갔으니
돌아오기 기다린들 어느 천 년에 만나볼꼬?

---

70) 환부역조換父易祖 : 아비와 할아비를 바꾼다는 말. 원래는 지체가 좋지 못한 사람이 지체를 높이기 위하여 옳지 못한 수단으로 자손이 없는 양반집의 뒤를 잇는 일을 가르킴.

정성이 지극하면 만나보기 쉬우리라.
홍옥병 청옥병에 새긴 글자 보아라.
죽은 목숨 돌아오거든 언어를 조심하고
승선각에 나와 앉아 퉁소를 불어보라.

노래를 그친 뒤에 백발의 노인이 흰 학을 손에 잡고 구름을 타고 공중을 향하여 가거늘, 어사가 급히 좇아가니 그 노인이 앉았던 자리에 옥으로 만든 빨갛고 파란 병이 두 개 놓여 있었다. 붉은 색 옥병에는 회생수回生水라 새겨져 있었고 푸른 색 옥병에는 개명주開明酒라 새겨져 있었는데, 어사가 이상하게 여기면서 옥병 둘 다를 가지고 안으로 들어갔다.

몇 리를 들어가니 고요하고 아늑한 운림雲林[71] 사이에 정결하고 아늑한 암자가 있었다. 이때 난허당이 누워 졸다가 갑자기 한 꿈을 꾸었는데, 반갑구나! 운학이 오색의 용을 타고 밝은 달을 손에 받들고 공중에서 내려오고 있었다. 운학이 하늘로부터 내려오면서 '불효자 운학이 왔나이다. 어머님은 나를 잃어버리시고 어떻게 지내셨습니까?' 하며 절을 하였다. 난허당이 급히 내달아 달려들어 서로 붙들고 바닥에 구르다가 설핏 잠을 깨니 운학은 간 데 없고 다만 헛된 꿈속의 일일 뿐이었다. 이에 난허당은 새로 가슴이 막혀 처량한 눈물이 비 오듯이 흐르면서 자연 정신도 가라앉고 삼혼구백三魂九魄[72]이 잠겨 속절없이 죽

71) 운림雲林 : 안개 자욱한 숲.

은 몸이 되어 깨어나지 못하였다.

설월당과 운수당이 갈팡질팡하며 어찌할 줄 몰라 하다가 백 가지로 약을 써도 무가내하無可奈何[73]였다. 이에 초상을 치르려고 몸을 움직이려 하였더니 난허당의 몸이 떨어지지 아니하였다. 설월당과 운수당이 어찌 할 방법이 없어 다만 문을 잠그고 울기만 하였는데, 이때 사문寺門 밖에 기침소리가 들려 자세히 보니 지나가는 나그네였다.

여승이 눈물을 흘리며 말하였다.

"지금 승당에 초상을 당하여서 속세의 나그네를 대접할 수가 없으니 다른 데로 가옵소서."

하니, 어사가 급히 물어 말하였다.

"무슨 병으로 죽었나이까? 제가 한때 지나가는 속세의 나그네일지라도 고칠 의술과 약방문을 아나니 원컨대 시체를 보여주소서."

설월당이 말하였다.

"아무리 의술과 약방문이 좋은들 죽기 전에는 혹 고치려니와 이미 죽은 후에야 어찌 하리오."

---

72) 삼혼구백三魂九魄 : 삼혼三魂은 사람의 몸 가운데에 있다는 세 가지 정혼精魂으로, 태광台光 · 상령爽靈 · 유정幽精을 말하며, 구백九魄은 죽은 사람의 몸에 남아 있는 일곱 가지의 정령精靈인 귀 둘, 눈 둘, 콧구멍 둘, 입 하나의 칠백七魄에 항문과 성기를 합한 것임. 삼혼구백은 사람의 넋을 통틀어 일컫는 말.

73) 무가내하無可奈何 : 어찌 할 수 없이 됨, 어쩔 수 없음.

어사가 말하였다.

"아무리 죽었다 하더라도 혹 고칠 약이 있어 회생하는 수가 있습니다. 저 문을 잠시만 열어 주십시오."

설월당이 말하였다.

"죽은 사람을 살릴 수 있는 약이 있으면 오죽이나 좋겠습니까마는 이는 곧 편작扁鵲[74] 같은 의원이라도 할 수 없는 일입니다. 어떠한 속세의 나그네가 공연히 들어와 수다스럽게 이렇게 하십니까?"

어사가 말하였다.

"저도 사람인데 다른 사람의 죽은 시체 보기를 좋아하겠습니까? 또한 주인 된 도리로 이다지 인정 없고 매몰스러울 수가 있습니까?"

운수당이 말하였다.

"혹시 불쌍한 사람이 죽어서 하느님이 감동하여 의약에 대해 잘 아는 사람을 보내신 것인가? 백운암은 본래 속세의 나그네가 오지 않는 곳인데, 오늘 속객이 오시기도 이상한 일이로구나."

하고 문을 열어주었다.

어사가 들어가 보니 숨은 없으나 안색은 조금도 변치 아니하였다.

어사가 말하였다.

---

74) 편작扁鵲 : 중국 전국시대의 의학자. 명의名醫로서 전설적인 명성을 남겼으며, 시기를 많이 받아 암살되었다고 함.

"죽은 스님이 반드시 원통한 일이 있어 숨이 막힌 것입니다."
하고 즉시 붉은 색 옥병을 기우려서 약물을 입에 부었더니 조금 있다가 온몸의 수족에 혈기와 맥박이 돌고 목에 숨이 통하였다. 푸른 색 옥병을 기우려서 약물을 귀에 넣고 눈에 바르니 귀가 열려 소리를 듣는 듯하고 입이 열려 소리를 내는 듯하였으며 눈을 들어 사방을 보는 듯하였는데 그 총명함이 그 전보다 더 나아진 듯하였다.

설월당과 운수당이 이를 보고 놀라며 또 반가워서 난허당을 붙들고 울다가 어사에게 고맙다며 감사의 인사를 하며 말하였다.

"산에 사는 중들이 무지하여 존빈尊賓의 신기하고 오묘한 재주를 몰라보고 미련한 말을 하였사오니 부디 마음을 누그러뜨리고 이해해주시기 바랍니다. 이처럼 큰 공덕을 어찌 다 갚을 수 있겠습니까?"

어사가 말하였다.

"조그마한 일에 이처럼 크게 감사의 인사를 하시니 도로 마음이 편안치 않습니다."
하고 승선각으로 나왔다. 이어 어사가 여기저기를 두루 방황하다보니 저절로 탄식이 나왔다.

"슬프다, 우리 모친은 약초를 캐러 가셨다 하니 어느 때 오실런고?"

어사가 마음 속 그리움을 억제할 수 없어서 옥퉁소를 잡아

한 곡조를 부니 그 고요하면서 아름다운 소리가 우는 듯 생각는 듯 온갖 슬픔과 그리움을 열어내 보였다.

이때 난허당이 정신을 차려 그 신비스러운 약 때문에 살아난 은덕에 감격하여 설월당을 보내 그 속세의 나그네를 청하였다. 설월당이 이에 승선각에 올라가니 퉁소 소리가 들리거늘, '어와 반갑구나, 이 어인 옥퉁소 소리란 말인가! 앞에 앉아 들어보니 반갑고도 이상하구나. 강릉추월 우리 퉁소가 여기에 왔단 말인가.' 하면서 급히 들어가 난허당에게 이 사실을 아뢰었다.

난허당이 놀라 말하였다.

"세상에 이 어인 말인가, 참말인가? 어서 바삐 가보자꾸나." 하고 엎드러지고 곱드러지며 나가보니 과연 강릉추월 옥퉁소가 분명한지라, 놀랍고 두려운 마음에 낯빛이 변할 지경이었다. 답답하고 쓸쓸한 마음에 달려들고자 하였으나 다시 생각하니, '아무래도 바다에 빠져 죽은 가군의 혼이 돌아와 나에게 퉁소를 주려 하는가, 내가 죽은 줄 알고 보낸 것인가, 정말 괴상하도다.' 하고 물었다.

"손님은 그 퉁소를 어디서 얻었습니까?"

어사가 말하였다.

"옥소는 우리집에 대대로 전해오는 보물입니다. 무슨 일로 묻는 것입니까?"

난허당이 말하였다.

"그 옥퉁소 소리가 극히 처량하여 이전에 듣던 소리 같기에 묻는 것입니다만, 대대로 전해오는 보물이라고 하신다면 어디에 사시며 성씨는 무엇이라 하십니까?"

어사가 말하였다.

"내 성은 이李요 고향은 강릉이로소이다."

난허당이 더욱 괴상하게 여겨 생각하되 '혹 이감사의 일족이 되는가, 강릉추월도 둘이 있는가?' 하며 의심하여 다시 물었다.

"강릉에 있다 하고 또 이씨라 하니 이상합니다. 이감사는 본디 하나뿐이요 감사의 아내도 본디 하나입니다. 손님께서 이감사 자제라 하니 세상에 이 어인 말입니까? 나는 팔자와 신명이 지극히 기구하여 지금 이 깊은 산 궁벽한 골짜기에 와서 이 모양이 되었으나 사실은 이감사의 아내입니다. 다른 자식이 없고 다만 아들 하나를 낳았는데 강보에 쌓인 어린 아이일 적에 잃어버렸습니다. 슬프다, 이 무슨 말입니까?"

하면서 얼굴만 자세히 볼 뿐이었다. 어사가 그 사람이 이감사의 아내라는 말을 듣고 반갑고 슬픈 마음 억제하지 못하고 달려들고자 하다가 다시 물어 말하였다.

"이감사의 아내라 하고 또 난허당이라 하고 강보에 쌓인 어린 아이를 잃었다 하니, 어린 아이를 서역국에게 수양자를 주었다가 잃어버리셨습니까?"

난허당이 듣고 있다가 과연 자기의 자식인 줄 알고 달려들어 안고 뒹굴며 말하였다.

"슬프다, 운학아! 나는 과연 너의 어미니라. 황천이 감동하시어 너를 이 산중에 보내어 죽은 나를 살리고 모자 상봉하게 하셨으니 너는 귀신이냐 사람이냐. 나의 마음이 어떻다 하랴. 반갑고도 즐겁도다. 이 무슨 말인고? 이 천지에 또 이러한 일이 있는가?"

난허당과 어사가 얼굴을 한 데 부비고 정신이 아득하여 기가 막히니 설월당과 운수당이 또 실성통곡하다가 붙들고 위로하였다.

서역국 부부가 또 그 말을 듣고 쫓아와 새로이 서로 붙들고 울거늘 그 슬프고 감동스러운 모습은 차마 다 말로 형용할 수가 없었다.

어사가 정신을 차려 소매로 모친의 눈물을 닦으며 말하였다.

"어머님은 진정하옵소서. 우리 모자는 이미 만났으니 다행이오나 다만 아버님의 생사를 모르옵니다. 어머님은 함께 환란을 당하셨으니 혹 기억하시겠습니까? 어찌하여야 아버님의 생사를 알 수 있겠습니까."

하며 서로 손을 붙들고 승당僧堂으로 들어가 차츰 말씀할 때, 설월당도 사생동거死生同居[75]한 줄 알고 못내못내 칭찬하였다. 또 운수당은 사람을 살린 부처님이라 하며 태산 같은 은혜를 매우 치하하였고, 서역국을 마주하고서는 삼년을 거두어 길러 준 은덕과 나중에 잃어버린 정황을 자세히 가르쳐주며 수고하

75) 사생동거死生同居 : 죽어서나 살아서나 늘 함께 있다는 뜻.

던 말을 치하하였다. 그리고 모친을 위로하며 말하였다.

"처음에 당했던 횡액은 귀신이 위협한 것이고, 중간에 일어난 일은 하늘이 감동한 것입니다. 앞뒤의 사연을 모두 말해드리겠습니다."

하고 차례대로, 운남국 장수백의 집에서 자라나고 여천추의 사위된 사연, 퉁소 얻은 사연, 과거보러 가는 길에 바람과 파도를 만나 강릉 본가에 가서 퉁소 불어 조부님과 함께 앉아 담소하던 사연, 과거 급제하여 황해도 어사가 되어 오던 길에 해주 아전의 말을 듣고 운남도 도적을 탐지할 때 장수백의 집에 몰래 들어간 사연, 여천추가 재물을 탈취할 때 퉁소를 빼앗아간 사연, 서역국의 집에 와서 물었던 사연 등과 또 골짜기 입구에서 도사의 노래를 들은 사연과 홍옥병과 청옥병을 얻은 사연을 낱낱이 아뢰니 그 모친이 더욱 슬퍼하고 감동하였다.

어사가 말하였다.

"어머님, 너무 슬퍼하지 마옵소서. 제가 죄악이 지극히 크지만 잠시 참았다가 고을에 들어가 출두出頭하여 불공대천지원수不共戴天之怨讐[76]를 갚을 것입니다."

하고 승당을 떠났다.

---

76) 불공대천지원수不共戴天之怨讐 : 하늘을 같이 이고 살아갈 수 없는 원수라는 뜻으로 세상에서 같이 살아갈 수 없을 만한 큰 원한을 비유하여 이르는 말.

어사가 해주로 들어가 각처의 역졸에게 분부하여 말하였다.

"나의 뒤를 따르라."

하며 서리胥吏들과 말을 주고받은 뒤 모월 모일에 해주로 모이라고 하였다.

어사가 먼저 해주로 들어가서 각읍을 낱낱이 살피고 탐문하고는 자취를 남기지 않고 역졸을 모아서 남쪽 성문에 올라가 암행어사 출두라 외치니 산천이 뒤집어지는 듯 온 성안이 진동하였다. 이어 어사가 각읍 관장이 잘 다스리는지 잘 다스리지 못하는지를 바로잡고 억울하게 옥에 갇힌 죄인을 다 풀어주었다.

마침내 어사는 해주 군진軍陳에서 쓰는 무기와 기치旗幟를 앞세우고 인근 읍의 군졸과 합세하여 사천 명을 거느리고 선문先文[77] 없이 길을 떠나 깨닫지 못하는 사이에 운남도로 들어갔다. 운남도에 들어가 첩첩이 포위하여 도적을 소탕하고는 우선 장수백과 여천추를 잡아내어 꿇어앉히고 다른 도적도 차례차례 꿇어앉힌 뒤에 큰 횃불을 사방에 밝히고 형산맹호荊山猛虎[78]처럼 앉아 장수백을 형추刑推[79]하였다.

"천하대적 장수백아, 너의 죄를 네가 아느냐? 또 나를 아느냐?

---

77) 선문先文 : 지방에 출장할 벼슬아치의 도착할 날짜를 그 곳에 미리 통지하던 공문.

78) 형산맹호荊山猛虎 : 형산荊山은 중국 안휘성 · 호북성 · 산동성 · 하남성에 있는 높은 산으로, 그처럼 높은 산에 사는 사나운 호랑이라는 말.

79) 형추刑推 : 형문刑問. 죄인의 정강이를 때리며 캐어물음.

보아라."

수백이 머리를 들어서 보니 과연 저의 아들이었다.

"우리 아들 해선아! 네 부모인 줄 몰라보고 이렇게 하느냐? 내가 무슨 죄가 있어서 자식이 저의 부모에게 이렇게 하느냐?"

어사가 군사를 호령하여,

"주장朱杖[80]으로 입을 찍으라."

하며,

"이놈 장수백아. 너는 도적질하며 훔치지 못할 것이 없이 파렴치한 짓을 하였으니, 백학산 동구에 가서 무엇을 도적하였느냐? 네 죄가 많으니 자세히 아뢰어라."

수백이 그제서야 말하였다.

"일이 이미 발각 되었으니 어찌 그럴듯한 말로 속일 수 있겠습니까. 서역국도 남의 자식을 수양자로 삼았고 나도 자식이 없어 남의 자식을 수양자로 삼았으니 저와 내가 마찬가지입니다. 또한 상벌과 공훈으로 말해보더라도 서역국의 아들이 되는 것이나 나의 아들이 되는 것이나 남의 자식이 되는 것은 마찬가지입니다. 제가 그 아이의 성명을 고친 것만 허물이라 할 수 있겠습니까? 길러준 은혜를 생각하신다면 이다지 괄시할 수 있습니까?"

어사가 또 호령하여,

80) 주장朱杖 : 붉은 칠을 한 몽둥이로 주릿대 따위. 신문할 때에 매질하는 몽둥이로나 무기로 썼음.

"바삐 거행하라."
하니, 그 소리에 역졸과 무사가 한꺼번에 달려들어 형추 사오십 대를 때리고 다시 꿇어앉혔다.

이어서 여천추를 잡아 들여 뇌형牢刑[81]하며 물었다.

"강릉추월 옥통소를 어디에 가서 도적하였느냐? 배에 실렸던 재물을 탈취하였으면 되었지 무슨 원수를 맺었다고 사람까지 죽였느냐? 천지가 무심치 아니하여 강릉추월 옥통소 소리로 나도 전말을 알게 되었고 모친도 찾았으니, 너의 죄를 생각하면 죽어도 아까울 것이 조금도 없느니라."

여천추가 놀랍고 또 겁이 나서 빌면서 말하였다.

"장인과 사위된 사정만 생각하라. 너는 나의 사위이니 나는 너의 처부모인데 어찌 인정 없이 이다지 악형을 가하느냐? 사정으로 말할진대 처부모도 부모이니 부모이기는 마찬가지요, 또 이감사의 재물을 탈취한 것이 너와 무슨 관계가 있기에 이렇게 주리를 트느냐? 또 옥통소를 어찌 네가 임자라 하느냐? 본임자는 이감사요 둘째 임자는 나니라. 또 이감사 죽이기로 네게 무슨 관계가 되느뇨?"
하니 어사가 호령하여 말하였다.

"내가 관계가 없으면 이렇듯 하겠느냐? 그 이감사는 바로 나의 부친이니, 너는 나의 불공대천지원수니라."

---

81) 뇌형牢刑 : 주리를 트는 형벌.

하고 군사를 호령하여 찢어 죽이라 하니 여천추가 그제야 이감사 아들인 줄 알고 놀라 허둥거리며 실색하고는 아무런 대답 없이 잠자코 죽기만 바랐다.

이때 여천추의 딸이 어사의 아내인지라 울며 나아가 땅 위에 엎드려 사정하며 빌어 말하였다.

"어사또님, 어인 일이옵니까? 지나간 일을 말하자면 모르고 한 일입니다. 이제서야 듣고 백 번 뉘우친들 미칠 수 없사오니 중간에 그만두시옵소서. 첩의 아비를 죽인들 분함을 풀 수 있겠습니까? 어사또님은 귀하신 몸이지만 저와 같은 천한 계집도 생각하여주시옵소서. 또 저와의 조그마한 연분이나마 생각하시어 아비를 살려 주시옵소서."

하며 수 없이 슬피 울며 빌었다.

어사가 말하기를,

"네가 무슨 말을 하는고?"

하며 군사를 호령하니 여러 군사가 한꺼번에 번개같이 달려들어 여천추에게 형장刑杖을 벼락같이 치니 여천추의 딸 이름은 월매였는데, 큰 소리로 애달프게 울면서 급히 제 아비 곁에 엎드려 애걸하였다.

"비나이다. 비나이다. 어사또님 앞에 비나이다. 아비 대신에 사랑하시던 저를 죽여주시옵소서. 제가 비록 비루하고 천한 몸이지만 한때 사또님의 아내였사오니 제 아비의 목숨을 구제해주시옵소서. 아비를 구제하지 못하면 저도 죽기로 마음먹었

사오니 사또님께서는 천에 하나 만에 하나라도 적선하여 주시옵소서. 그렇지 아니하시면 제가 무슨 면목으로 세상에 있겠습니까. 뼈에 사무치게 마음 속 깊이 맺힌 통분痛憤을 참으시고 저의 아비를 제발 적선하여 살려주시옵소서. 하해같이 만물을 포용하는 마음으로 널리 생각하시어 의혹을 풀어버리십시오. 조부모님 봉제사를 저의 몸으로 받들어서 아비의 죄를 갚으오리다. 황송하온 말씀이지마는 저의 정성으로 천지일월께 빌어 귀한 자식과 귀한 손자를 많이 나아 천세만세토록 조선향화祖先香火[82] 남기고 전하여 아비의 죄를 갚겠습니다. 사또님께서 옥퉁소가 아니었다면 이감사 아들인 줄 어이 알아 찾았겠습니까. 퉁소로 근본을 찾았으니 원수라도 은인이라 할 것입니다."
하고 지극히 정성을 다하며 슬피 빌었다.

어사가 말하기를,

"네 아비 여천추는 죄를 지은 놈이라. 어찌 죽이지 아니하리오."
하고 형장를 더하니 여천추의 온몸에 피가 흘러 삼혼칠백三魂七魄이 다 흩어질 지경이었다. 이어서 어사가 추상같이 호령하여 여천추의 딸을 잡아내어 형장을 더하니, 여천추가 그 위엄에 놀라 기가 끊어져 죽고 말았다.

여천추의 딸이 제 부모의 죽음을 보고는 처량한 눈물을 비

82) 조선향화祖先香火 : 향화香火는 향불인데 제사에는 언제나 향불을 피운다는 뜻에서 제사를 일컫는다. 즉 조상에 대한 제사를 말함.

오듯이 흘리며 통곡하다가 갑자기 말하였다.

"저의 아비가 죽을죄가 있더라도 원수가 도리어 은혜가 되는 경우도 있다는 말이 있사오니 어찌 이처럼 하시는 것입니까! 나라의 일에도 사정이 있다 하고 원수에도 참작이 있다고 하는 것은 죄는 지나간 일이요 정은 눈앞에 있기 때문인데 너무도 박절迫切하십니다.

저의 부모를 죽이옵고 저를 다시 가까이 하기는 만에 하나라도 없을 듯한 일이옵고 저도 다시 사또님을 모시기 마땅치 못하오니 혼자 살아 무엇 하오리까?

슬프다, 저의 신세와 운명이 이럴 줄 알았으면 이전 동방화촉洞房華燭[83] 밝히던 날 부질없이 연분을 맺어 살아생전이나 죽고 나서라도 여한이 되게 하였겠습니까? 저는 이제 자결할 것이니, 사또님은 부디 잘되어 만세무량하옵소서. 원수의 여식이지만 불쌍하게나 여겨주시옵소서."

하고 칼을 들어 자결하니 보는 사람이 모두 참혹하게 여기고, 어사도 또한 마음속으로 좋지 않게 여겼다.

어사가 다시 엄숙하게 호령하여 다른 도적을 결박하여 다 능지처참陵遲處斬[84]하고 장수백을 다시 잡아들여 형틀을 펼쳐

---

83) 동방화촉洞房華燭 : 동방洞房은 부인이 거처하는 곳, 곧 신방新房을 뜻하는 바, 동방화촉은 부인의 방에 촛불이 아름답게 비친다는 뜻으로 혼례 치른 뒤에 신랑이 신부 방에 머물러 자는 의식을 말함.

84) 능지처참陵遲處斬 : 대역大逆 죄인에게 과하던 최대의 형벌. 머리 · 양팔 · 양다리 · 몸뚱이의 순으로 여섯 부분으로 찢어서 각지에 보내어 여러 사람

두고 준비를 하니 장수백이 정신이 없어 땅에 엎드려 어사에게 아뢰어 말하였다.

“그 전에 지은 죄는 죽어도 용납하지 못하겠지만 분수에 넘치는 말씀을 드리니, 이는 다만 수양하여 길러준 인정만 믿고 지극히 아뢰는 것입니다. 조금도 너그러이 용서하지 마시고 저를 즉시 죽여서 천하 후세를 경계시키고 꾸짖어 조심하게 하시옵소서.”

어사가 장수백의 지혜와 식견이 넉넉함을 보고 비록 도적이나 영웅의 기상인지라 한참을 생각하다가 풀어주며 일러 말하였다.

“너도 같이 죽일 것이나 다시 생각하니 너는 여천추와 같은 원수가 아니라 네 마침 자식이 없었기 때문에 한때 욕심에 그리한 듯하구나. 또 아무리 괘씸한들 십여 년 거두어 길러주던 인정이 없을 수 있겠느냐? 하여 살려줄 것이니 이후에는 다시 분수에 넘치는 뜻을 두지 말라.”

하고 놓아 보내주니, 장수백이 두번 세번 절하고 인사하며 축수祝壽[85]하였다.

어사가 즉시 군사를 모와 도적의 소굴에 보내 재물을 가져오게 하니 거의 백만 금이었다. 삼만 금을 나누어 장수백에게

에게 구경시킴. 중국에서 들어와 고려 공민왕 이후 조선조 초기에 행해졌으나 고종 31(1894)년에 완전히 폐지됨.

85) 축수祝壽 : 오래 살기를 빎.

주며 말하였다.

“네가 이만하면 평생토록 풍족할 것이니 이곳에 있지 말고 해주로 가서 양민이 되어 살아라.”

이어 어사는 남은 것을 싣고 해주로 나와 그 절반을 갈라 해주 백성에게 나주어 주어 지금까지의 폐단과 병폐를 덜게 하였고, 나머지 반은 백운암으로 보내어 운수당에게 특별히 하사하였다.

어사가 해주감사와 더불어[86] 자신의 성은 이李인데 장가張哥된 사연과 운남도 도적 잡은 일의 대강을 말해주고는 이어서 이 일을 조정에도 주달奏達[87]하였다.

성상께서 이를 보시고 크게 놀라시고 또 크게 칭찬하시면서 이씨李氏로 고쳐 다시 유지諭旨[88]를 쓰시고, ‘만고萬古 효자 이운학은 황해도 어사 겸 강원도 어사에 제수하노라’ 하였다. 또 장계狀啓[89]에 비답批答[90]하되, ‘강원도 백성에게 원망의 대상이 되는 부서와 수령이 잘 다스리는지 그렇지 못한지를 각별히 유념하여 자세히 살펴 조사하라.’ 하시니 어사가 위엄과 예의를 갖추어 명을 받들고 강릉의 본가로 내려갔다.

---

86) 이 뒤에 ‘모친을 모시며’라고 적혀 있으나, 아직 모친을 만나지 않았기에 생략하였다. 필사자의 착각으로 보인다.

87) 주달奏達 : 임금에게 아뢺. 주문奏聞, 주어奏御, 주품奏稟이라고도 함.

88) 유지諭旨 : 임금이 신하에게 내리는 글.

89) 장계狀啓 : 감사나 왕의 명을 받고 파견된 지방의 관원이 서면으로 임금에게 보고함, 또는 그 보고.

90) 비답批答 : 신하의 상소에 대한 임금의 하답下答.

이때 유지를 내리신 임금님의 은혜에 감사를 드리니 주변에서 비단과 포백布帛을 많이 부조하여 도합 오만사천 냥이 되었다. 모두 간수하여 먼저 백운암으로 들어갈 때, 나졸과 역졸이 어사를 따라가니 인읍의 수령들도 모두 함께 뒤를 따랐는데, 엄숙한 위엄은 거룩하였고 풍채는 비할 데가 없었다.

어사가 그 모친을 찾아뵙고 운남도 도적 잡은 이야기와 장계하여 임금님이 칭찬하시던 이야기와 나라에서 강원도 어사에 제수한 이야기를 낱낱이 다 아뢰니 그 모친과 설월당과 운수당이 다 후련하다 하였다. 어사가 먼저 운수당에게 간절한 마음을 담아 재물을 주어 그 정을 표하고, 이어 돈 일천 냥을 부처님께 시주하고 떠나면서 운수당을 불러 말하였다.

"우리 모친을 십여 년 구제하신 은혜는 죽은들 어찌 잊겠습니까. 인정은 무궁하나 떠날 길이 급하여 섭섭할 뿐입니다. 천리 밖에 있어도 잊지 말고 지내십시오."

또 서역국을 불러 말하였다.

"나 때문에 중간에 심려하고 고생하였으며 삼 년 동안 거두어 길러준 인정이 소중하니 내가 어찌 살아서나 죽어서나 잊을 수 있겠습니까. 또 자식이 없어 신세가 불쌍하니 내가 데리고 가서 그 은공을 갚겠습니다."

하고 함께 길을 떠날 채비를 하니 서역국이 또한 인정을 베풀어 줌에 감동하여 감사드렸다.

떠날 때가 되어 난허당과 설월당이 불전에 들어가 향을 피우고 백 번 절하며 축원하고 이어 운수당과 작별할 때, 서로 손을 잡고 눈물을 흘리며 말하였다.

"슬프다, 우리 팔자가 기구하여 만 번 죽었던 몸이 겨우 살아나 스님을 만나 십오 년을 함께 기거하며 슬플 때나 즐거울 때나 병들었을 때라도 같이하였으니 그 정이 어떠하며 그 은덕이 어떠하겠습니까. 태산이 평지가 되도록 어찌 잊을 수 있겠습니까. 그동안 서로 떠나지 말자 맹세하였더니 하느님이 감동하고 부처님이 지시하시어 잃었던 자식을 만나 이제 서로 이별하게 되었으니 뼈 속에 새긴 마음이 오늘엔 허사가 되고 말았습니다."

하며 못내못내 슬퍼하니, 운수당이 말하였다.

"젊었을 때의 고생과 나이 들어 늙은 뒤의 영예와 복락은 모두 팔자소관입니다. 어찌 사람의 힘으로 할 수 있는 것이겠습니까? 저에게 와서 고생한 것을 생각하면 목이 메여 말하지 못하겠고, 또 지나간 일은 뜬구름과 같습니다. 다시 생각지 마십시오. 인간의 영예와 복락이 눈앞에 가득하니 이것이 이른바 고진감래라는 것입니다. 어찌 한탄하겠습니까. 십오 년 함께 거처함은 인정이라 하면 인정이라 할 수 있지마는 공덕이라 함은 말도 안 되는 소리입니다. 한때 이별에 슬퍼하고 느꺼워하는 마음을 품는 것은 여자의 본색이니 어찌 피차 다르겠습니까. 허나 갈 길이 바쁘니 어서 떠나십시오."

서로 손을 이끌고 동구에 나와 안타깝게 그리워하며 이별하니 그 모습은 차마 보지 못할 듯하였다.

어사가 감사와 수령을 전별하고 말을 채찍질하여 조금씩 길을 나누어 떠나 여러 날 만에 강원도 지경에 다다라 노문路文[91]을 먼저 보내고 원주 감영에 들어가 감사를 보고 앞뒤에 일어났던 일과 사정을 말하였다. 감사가 이것을 듣고 칭찬하며 천고에 없는 일이라며 즉시 강릉 관아에 사정을 다음과 같이 통보하였다.

> '모일에 삭옥봉 이감사 댁에 큰 잔치를 배설하라, 나도 그 잔치에 참여하리라. 이때 강릉읍의 본관이 먼저 자리를 설치하라. 이런 일은 천고에 드문 일이니, 각읍의 수령도 함께 모여라.'

어사도 또한 먼저 본댁에 서간을 보내고 각읍과 각면을 관할하고 통제하여 역졸을 모아 위엄과 예의를 갖추어 떠나니, 각읍의 온갖 깃발과 풍악이 모여, 나부끼는 깃발과 호위하는 창검이 일월을 희롱하고 울리는 풍악 소리는 산천을 진동시켰다.

삭옥봉 동구에 들어가니 강릉읍의 본관이 먼저 와 잔치 자리

---

91) 노문路文 : 조선조 외방에 공무로 나가는 관원에게 각 지방의 역에서 말과 침식寢食을 제공받을 수 있도록 하기 위하여 마패 대신 발급되던 문서. 여기에는 마필의 수, 수행하는 종의 수, 노정路程 등이 상세히 기록되어 있었음.

를 갖추어 마련해 두었고 가까운 읍의 수령들도 사방에서 구름이 모이듯 본댁에 자리를 차지하고 앉아 있었다. 각각의 장막이 찬란하고 그 사이에 풍악이 진동하니 좌우의 남녀노소가 누구나 할 것 없이 다투어 구경하였다.

어사가 먼저 집으로 들어가 조부모님 앞에 나아가 땅에 엎드려 말하였다.

"불효손 운학이 왔나이다. 전날에 두 번 만나 뵙고도 마침 알아보지 못하였더니 오늘에야 알아 뵈오니 조부모님 그 사이 안녕하셨습니까? 어머님 찾아 모시고 함께 왔나이다."
하며 슬피 통곡하였다.

이어 난허당이 말하였다.

"아버님 앞에 면목이 없는 불효막대不孝莫大한 조부인이로소이다. 환난 가운데 가장을 잃고 혼자 와 뵈오니 더욱 마음이 편안치 않습니다."
하며 수없이 통곡하며 뒹굴다가 정신을 잃고 말았다.

이에 시부모도 조부인[92]을 붙들고 울며,

"불쌍하다, 우리 며느리야. 나를 두고 어디 갔더냐? 나는 죽은 줄 알았더니 그 사이 무사히 있었더냐?"
하고, 또 삭발한 것을 만지며,

---

92) 고소설에서는 인물의 신분이 바뀌면 호칭도 함께 바뀌는 경우가 많다. 난허당이 시댁에 와서 시부모에게 인사하는 순간, 스님 난허당은 며느리 조부인이 되는데, 이런 것이 그대로 반영되어 있다.

"이것이 무슨 모양이냐. 참혹하구나. 이 모양을 하였을 적에 네 신세는 얼마나 가련하였겠으며 네 마음은 오죽하였겠느냐? 슬프다, 우리 아들! 어디로 가서 살았는가, 죽었는가? 어찌하여야 만나 볼꼬? 그러나 너무 생각지 말고 정신을 진정하여라. 오늘 다시 만나니 오히려 다행이며, 천금 같은 손자를 보니 저의 아비가 틀림없이 확실하구나. 우리 자식을 다시 마주한 듯하니 슬픈 가운데 즐겁도다. 또 성은이 망극하여 귀한 영화가 눈앞에 지극하니 이제 죽은들 무슨 한이 있겠느냐?"

또 설랑을 불러 어루만지며 말하였다.

"불쌍하구나, 너는 오죽 고생하였느냐. 죽거나 살거나 간에 함께 살며 지극한 정성을 한결같이 하였으니 기특하고 불쌍하다."

하며 슬픈 눈물을 금치 못하였다.

설랑이 위로하며 말하였다.

"이제는 무슨 한이 있겠습니까. 그리워하던 마음과 고생하였던 말씀은 앞으로 천천히 조금씩 하시고 지금은 눈앞의 영화를 누리십시오."

하고 어사와 함께 외당에 나가 손님을 대접하고 주인의 예를 지키며 서로 위로하며 즐기니 술과 안주가 넉넉하고 풍악이 찬란하였다.

강원도 감사가 어사에게 물어 말하였다.

"영감댁 강릉추월 옥통소는 사람마다 불어도 소리가 아니

난다 하니 한번 구경하사이다."

어사가 퉁소를 내어 놓으니 모두 보고 다투어 불어 보았으나 소리가 나지 아니하였다. 모두 괴상하게 여겨 어사에게 불어보라 하니 과연 청아한 소리가 구름 밖 하늘에까지 솟아올랐다. 여러 사람이 다시 다투어 불면서 시험해보았으나 역시 소리가 나지 않았고 악공이 불어도 소리가 나지 않았다.

각읍 수령이 모두 칭찬하며 말하였다.

"아무리 생각해도 이상하도다. 하늘에 사는 신선의 음악이요 인간 세상에는 없는 것이니 진실로 영감댁 보배로소이다."

일등 명기名妓를 시켜 거문고와 여러 가지 악기를 펼쳐두고 앞뒤에서 연주하게 하여 그 소리가 진동하였으나 모두 퉁소 소리만 못하였으니, 세상에 보기 드문 기이한 광경이었다.

사흘간의 큰 잔치를 끝낸 뒤 여러 고을의 수령들이 의논하여 말하기를,

"주인댁 이번 잔치는 천하에 드문 바입니다."

하고 황해감사와 수령들이 함께 부조하여 각각 물품의 목록을 적어 어사에게 드렸다.

어사가 말하였다.

"나를 위하여 며칠 동안 노는 것도 영광이 적지 아니한데 또 이다지 마음을 써서 힘껏 보살펴주시니 도로 마음이 편치 않습니다."

하니 보는 사람이 모두 칭찬하였다.

감사와 수령들이 작별할 때, 어사가 말하였다.

"이번에 임금님께서 강원도 어사를 더하여 제수하신 것은 다만 나의 위엄을 더해주고자 하신 것일 따름입니다. 제가 어찌 여러 고을을 순찰하겠습니까. 즉시 올라가 성상을 뵙고 명을 따르려 합니다."

삼척부사가 말하였다.

"다른 고을은 모두 그만두실지라도 삼척에는 큰 사건이 있으니 급할지라도 삼척에 행차하시어 결단하여 주시옵소서."

어사가 그 옥사를 자세히 듣고 이를 허락한 뒤에 뒷날을 기약하였다.

한편 어사가 조부모님께 서역국을 데려온 사연을 말씀드리니 그 조부모가 즉시 서역국을 불러 치하하고 각별하게 생각하였다. 또 조부인도 그 사이 고생하던 사연과 운남도 도적을 만나 가장을 잃고 혼자 도적에게 붙들려갔던 일과 도적의 방에 갇히어 설랑과 서로 자결하려 했던 일과 천불암 부처님 와서 구제하던 일과 자하대에서 어떤 노인이 인도하던 말과 가장과 자식을 생각하여 기가 막혀 죽었던 일과 자식이 와서 살린 일을 낱낱이 아뢰니 그 시부모님이 더욱 놀랍고 기이하여 낯빛을 잃을 지경이었다.

어사가 조부모님과 모친을 위로한 뒤, 서리와 역졸과 말을 주고받고는 삼척으로 내려와 출두하니 온 고을 백성들이 놀라 진동하지 않은 이가 없었다. 동헌으로 들어가 자리를 잡고 앉아 삼척부사를 본 뒤에 사건에 연루된 죄인을 모두 형틀에 올리라 하고 사방에 동화불을 놓고 죄인을 취조하여 진술을 받았다.

죄인의 성명은 서운길이었다. 어사가 앞뒤의 정황과 사건을 모두 들은 뒤, 사건에 연루된 시척侍戚[93] 최용만에게 엄하게 형벌을 가하여 지극하게 심문하고, 또 참고인과 증거들을 명백하게 조사하고 살펴보니 서운길의 죄가 실로 애매하였다. 최용만은 서울의 재상가 척속戚屬으로 증거를 감추어 살아났고 서운길은 힘이 없어 죄 없이 죽게 되었던 것이었다. 어사가 이 일을 명백하게 분간한 뒤에 최용만에게 엄하게 형벌을 가하라고 형산맹호같이 호령하고 말하였다.

"너 만한 놈이 무슨 세도가 있다고 관장을 희롱하고 나라의 법을 어지럽게 하느냐? 애매한 사람을 죽이려 하였으니 너 같은 놈은 죽여서 나라의 법을 바로잡고 원통한 사람을 건지리라."
하고 형장 칠십 대를 때리게 하였다.

어사가 다시 일러 말하였다.

"너를 죽일 것이로되 십분十分[94] 참작하여 풀어줄 것이니 다시는 그러한 어리석고 몽매한 일을 하지 말라."
하고 또 증인들에게 호령하여 말하기를,

"너희들은 최용만의 권세를 겁내어 관장으로 하여금 옥인지

---

93) 시척侍戚 : 임금을 모시고 있는 재상 등 권세가의 친척.
94) 십분十分 : 넉넉하게, 부족함이 없이, 충분히.

돌인지를 가리지 못하게 하였도다."
하고 각각 형장 삼십 대를 때린 뒤 풀어주었다.

이어 어사가 서운길을 불러,

"너는 신세와 운수가 불길하여 공연히 횡액에 들어 죄를 당하여 감옥에 갇혔으니 불쌍하도다."
하고 놓아 주니, 온 고을의 백성이 모두 상쾌하게 여겼고, 서운길은 백 번 절하며 감사의 인사를 하고 물러갔다.

어사가 밤에 삼척부사와 더불어 고을의 일을 의논하다가 물어 말하였다.

"서운길은 어떠한 사람입니까?"

"서운길은 이 고을 중인으로 누만 석 거부입니다."

"그 용모를 보니 아마도 부유한 사람인 듯합니다만, 자식은 몇이나 두었다 하더이까?"

"자식은 몇 명이 있는 줄 모르겠지만 저가 감옥에 있을 때에 자식 삼형제들이 와서 애걸하더이다."

"그러하오면 내 한 가지 청이 있습니다. 내게 늙은 유모가 있는데 자식이 없어 지금까지 한탄하고 있으니 지극히 불쌍합니다. 서운길의 아들 가운데 하나를 양자로 준다면 남에게 적선하는 일일 것이니, 부탁드리겠습니다."

"유모가 자식이 없다면 인정에 그러할 듯하옵고 또 서운길이 이 일을 어찌 사양하겠습니까. 죽을 목숨을 살려주었으니 차가운 물속이나 뜨거운 불구덩이라 하더라도 어찌 피하겠습니까."

그 이튿날 서운길을 불러 그 일에 대해서 자세히 일러주니 서운길이 다시 절하고 말하였다.

"소인의 자식에 대해 어사또께서 이야기를 꺼내시니 어찌 거역하겠습니까? 또 소인의 죽을 목숨을 살려 주셨으니 그 태산 같은 은혜를 무엇으로 갚을 수 있겠습니까? 소인의 목숨이 만일 죽었다면 여러 자식 있은들 무엇 하겠습니까? 다만 소인의 자식이 학문을 하지 않아 재주가 특별히 뛰어나지 못하오니 모두 불러다가 그 가운데 가려 택하십시오."

서운길이 즉시 아들 삼형제를 불러다 어사를 뵙게 하거늘 어사가 살펴보니 하나같이 모두 옥처럼 빛났다.

어사가 서운길을 불러 말하였다.

"너의 자식이 모두 명민하구나. 맏자식은 이미 장가를 들었고, 둘째 아들은 아직 장가들지 않았으니 이 아이로 정하노라."

또 말하였다.

"내가 갈 길이 급하니 이번에 데리고 가지 않을 수 없구나. 즉시 시행토록 하여라."

그 둘째 아들 이름은 봉술이니, 어사가 불러 말하였다.

"봉술아, 네가 양가養家에 가서 양부모를 지극한 정성으로 섬기면 장래 저절로 좋은 일이 있으리라."

서운길이 그 세간을 갈라 전답 오십 석의 문서를 주고 돈 만 냥을 실어 앞세우고 봉술을 데리고 떠날 때, 그 남은 자식도 함께 따라왔다.

어사가 삼척부사와 작별하고 봉술을 데리고 강릉으로 돌아와 서역국을 불렀다. 이어 서역국에게 봉술을 양자 삼은 사연을 말하니 서역국이 또 축수하였다. 서역국이 서운길과 상면하고는 봉술의 손을 잡고 머리를 어루만지며 탄식하며 말하였다.

"내가 너와 같은 자식이 있으니 어찌 혈육이 없다 하리오. 이제 너를 보니 한이 없도다. 죽는다고 한들 무슨 여한이 있으리오."

여러 날 즐김이 헤아릴 수 없었다. 서운길이 며칠 동안 잔치하고 놀다가 서역국에게 일러 말하였다.

"내 자식이 아직 철이 안 나고 사리에 어두우니 잘 가르치며 자기가 낳은 자식처럼 기르십시오. 그리고 내가 가져온 것이 비록 적지만 우선 쓰십시오."

하고 작별하고 떠나면서 어사댁에 들어와 하직하고 갔다. 서역국 부부도 못내못내 아쉬워하며 작별하였다.

어사가 서역국을 불러 말하였다.

"공덕을 만분의 일이나마 갚고자 하였는데 마침 자식을 얻었으니 의외로 일이 잘되어 정말로 아주 다행한 일입니다. 내가 없을지라도 내 집 모든 일을 잘 보살피고 지켜주십시오."

어사가 모친과 조부모께 하직하고 말하였다.

"이제는 급히 임금님의 명을 받들어야 하오니 지체 없이 떠나야 합니다. 어머님께서는 제가 없다고 서러워 마시고 부모를 정성으로 섬기옵소서."

어사가 길을 떠나 경성에 이르러 임금님을 뵈오니 임금이 즐거워하여 직품職品을 더 높여 주었다. 마침 중원中原에 사신을 보내야 했는데, 여러 신하 가운데서 보냄 직한 신하가 없어 근심하다가 임금이 운학을 불러 말하였다.

"그대의 충성이 족히 중국 사신을 감당함 직하여 특별히 택하여 보내는 것이니 그대의 소견은 어떠한가?"

운학이 머리를 조아리며 아뢰어 말하였다.

"신은 전하에게 있어서 여러 신민 가운데 하나일 뿐입니다. 무엇인들 하교下敎[95]하시오면 비록 차가운 물과 뜨거운 불구덩이 속이라도 어찌 피하겠습니까?"

임금이 칭찬하며 말하였다.

"가히 효자요 충신이라 이를 만하도다. 그대를 제외하고 주석지신柱石之臣[96]이 어디 있으리오?"

하며 즉시 행차를 준비해 주었다.

운학이 땅에 엎드려 아뢰어 말하였다.

"신이 만리타국에 떠나오니 어버이를 뵈옵고 가는 것이 옳을까 하나이다. 또한 기가 막힌 사정이 있나이다. 신의 모친은 중국 여남 소주 조상서의 여식입니다. 신이 이번에 들어가면 외가를 찾아가 뵈올 작정입니다. 외가를 찾아간다면 모친의

---

95) 하교下敎 : 왕이 명령을 내림.

96) 주석지신柱石之臣 : 나라의 기둥이 되고 주추가 될 정도로 가장 중요한 구실을 하는 신하.

편지를 받아가지고 가는 것이 마땅하지 않겠습니까?"

임금이 놀라 감탄하며 말하였다.

"희한한 일이로다. 중국 조상서의 딸이 어찌 그대의 모친이 되었는고?"

운학이 앞뒤의 사연을 자세히 임금께 아뢰니 임금이 칭찬하며 말하였다.

"이 일이 족히 옛이야기 삼아 들음 직하도다."

또,

"이번 길은 나라의 일도 요긴하고 중요하지만 그대의 일이 더욱 절박하도다."

하고 말미를 주었다.

운학이 급히 행장을 꾸려서 집으로 돌아와 모친께 이 일을 아뢰니 조부인이 처량한 마음이 들어 탄식하여 말하였다.

"내가 부모를 이별한 지 어언 수십 년이라. 사생존망死生存亡을 서로 알지 못하여 그 때문에 철천지원徹天之寃[97]이 골수에 맺혔으니 한때라도 잊었으리오. 임금의 은혜가 망극하여 너를 중국 사신으로 보내어 우리 부모님의 존망과 안부를 자연이 알게 될 것이니 기쁘고 반갑기 그지없구나. 그러나 네가 아직 석대碩大[98]하지 못하였는데 만리타국에 갔다 어찌 돌아올꼬?

---

97) 철천지원徹天之寃 : 철천徹天은 하늘에 사무친다는 뜻으로 '오래오래 잊을 수 없도록 뼈에 사무치는'의 뜻. 곧 뼈에 사무치는 크나큰 원통함을 말함.

98) 석대碩大 : 몸집이 굵고 큼.

간장이 놀라고 심곡心曲[99]이 썩는 듯하구나. 놀랍지 아니하며 어렵지 아니하리오."

하고 슬픈 눈물을 무수히 흘렸다.

이어 가슴속에 묻어두었던 한 조각 심곡을 갈라내어 만지장서滿紙長書[100]를 써서 봉하여 주었다. 또 운학이 집을 떠날 때 '내가 가진 것은 이 비단 저고리뿐이니라.' 하며 봉해주며 말하였다.

"우리 집을 찾아가서 조상서를 보고 이 편지를 드리고 외손이라 한다면 어찌 의심이 없으리오. 만일 곧이듣지 않으시거든 이 저고리를 안으로 들여보내어라. 또 우리 아버지께서 나를 사랑하여 일월금패日月錦貝[101]와 성신주패星辰珠佩[102]와 금봉채金鳳釵, 옥지환玉指環, 은장도銀粧刀를 주며 말씀하시기를, '이것을 단단히 간수하였다가 나이가 차 시집간 뒤에 은장도는 어진 가장을 주어라.' 하시기에 옥으로 만든 함에 넣어 내가 지내던 부용당芙蓉堂 쇠창문 밖 셋째 계단 섬돌 아래 묻었으니 이것은 아무도 모르는 일이다. 반드시 지금까지 있을 것이니 네가 이를 자세히 말하고, 또 네 눈으로 보는 듯이 찾아 보여드려라.

슬프다, 우리 부모가 나에 대해 물으시거든 네가 본 대로

---

99) 심곡心曲 : 간절하고 애틋한 마음, 여러 가지로 생각하는 마음의 깊은 속.

100) 만지장서滿紙長書 : 사연을 많이 적은 긴 편지.

101) 일월금패日月錦貝 : 해와 달을 새긴 빛깔이 누렇고 속이 말갛게 투명한 호박琥珀. 사치품의 한 가지.

102) 성신주패星辰珠佩 : 별 모양을 새긴 진주眞珠.

말해드려라. 나는 목이 메여 더는 자세히 말을 못하겠도다."
하고 넋이 나간 듯 앉았거늘 운학이 급히 위로하며 말하였다.
"어머님이 이리 하시기는 당연한 일이지만, 만 리 밖으로 떠나는 저를 생각지 아니하시고 마음을 상해하십니까? 진정하시옵소서. 왕명이 급하오니 지체할 수 없습니다."
하고 조부모께 하직하고 또 어머님을 위로하며 말하였다.
"평안히 계시고 조부모님을 잘 봉양하시기를 천번 만번 바라나이다."
하고 급히 말을 재촉하여 길을 떠났다.

여러 날 만에 경성에 도달하여 임금님을 뵙고 그 이튿날 떠나 며칠이 지나 의주에 도착하여 묵은 뒤, 압록강을 건너 명산대천을 구경하면서 들어가니 황화옥절皇華玉節[103]이 만 리에 빛났다.

봄바람처럼 온화한 강과 가을 달처럼 영롱한 풍경을 가는 길에 차례차례 구경하며 나아가니 조작산과 봉황성은 만리타국의 아름다운 곳이었다. 지나가면서 거치는 길마다 꽃은 푸르고 싱싱하였고 물색도 아름다웠다.

그럭저럭 황성皇城에 도달하니 중국의 물색이 모두 장관이었

103) 황화옥절皇華玉節 : 황화皇華는 중국 사신을 높여 부르는 말이며, 옥절玉節은 옥으로 만든 부신符信으로 관직이 제수될 때 받던 증서이다. 따라서 황화옥절이란 중국 사신으로 가는 관원이 받은 증서로써의 부신을 말하는 것으로, 여기서는 그 행차의 치장을 말함.

다. 예단을 갖추어 천자께 들어가 뵈오니 천자가 조선의 사정과 일을 자세히 묻고 답한 뒤에 사신에게 물어 말하였다.

"그대의 성명은 옥절玉節과 보첩寶牒[104]에서 보았으나 용모가 기묘하니 나이가 얼마인가?"

운학이 아뢰어 말하였다.

"신의 나이는 십칠 세로소이다. 또 소국에서 나고 자라서 아무런 지식도 없이 무거운 소임을 맡아서 대국의 여러 가지 예절을 모르오니 엎드려 바라건대 폐하께서는 무지하고 무례한 것을 십분 용서하시옵소서."

천자가 말하였다.

"스물 전 소년이 일찍 청운靑雲[105]에 올라 황화옥절로 만리타국에 들어와 이처럼 기특하니 진실로 충신이요 또한 인재라 할 만하도다. 예절과 재질이 특별히 뛰어나지 않으면 어찌 타국에 들어올 수 있으리오. 짐이 열국列國 사신을 많이 보았으나 그대 같은 이는 처음이도다. 무슨 실례 될 것이 있으리오.

그런데 짐이 근심하는 일이 있노라. 서번이 배반하여 이미 팔십 리 지경에까지 침범하였는데, 또 패하였다는 소식이 왔노라. 약간의 장수와 병졸을 모았으되 장수의 재목으로 그대와 같은 인재를 보지 못하였으니 어찌 다행스럽지 아니하리오. 그대는 한때의 수고를 아끼지 말고 짐의 근심을 덜게 하라."

---

104) 보첩寶牒 : 보배로 장식한 문첩文牒.

105) 청운靑雲 : 높은 벼슬이나 명예의 비유.

운학이 땅에 엎드려 아뢰어 말하였다.

"소신은 나이가 어려 지혜와 술책, 그리고 장수의 지략이 없습니다. 또 군법에도 능하지 못하오니 어찌 외람되이 그처럼 큰 임무를 감당할 수 있겠습니까?"

천자가 말하였다.

"그대의 재주는 짐이 이미 짐작하나니 너무 겸손하게 사양하지 말라. 짐이 오늘날 그대를 만난 것은 하늘이 지시한 것이니라. 그대도 이러한 때를 당하여 재주를 한 번 시험하고 만리타국의 전장에 나아가 공명을 이루어 죽백竹帛[106]에 빛난 이름을 천추에 남기고 전한다면 그 아니 좋겠는가."

하며 친히 잔을 잡아 술을 권하거늘 운학이 다시 술잔을 받으며 두 번 절하고 말하였다.

"폐하께옵서 신의 어리석고 변변치 못함을 모르시고 이와 같이 말씀하시니 신이 어찌 차가운 물이나 뜨거운 불구덩이일지라도 피하겠습니까?"

하니 천자가 기뻐하시며 운학과 병법을 의논하였다.

이때에 춘백은 자개산 도사와 더불어 세월을 보내고 있었는데 하루는 도사가 병서를 내어주며 공부하라 하고 또한 칼을 주며 말하였다.

---

106) 죽백竹帛 : 대와 헝겊이라는 뜻으로 옛날 종이가 발명되기 이전에 종이 대신 쓴 데서 서적書籍이나 사기史記를 달리 이르는 말.

"남아가 세상에 살아가면서 이것을 착실히 공부하면 장래에 쓸 데 있으리라."

춘백이 칼을 받고서는 낮이면 병서를 공부하고 밤이면 검술을 공부하며 세월을 보내었다. 또 도사가 『육도삼략』과 천문지리를 가르치니 모두 통하여 알지 못하는 것이 없었다.

하루는 도사가 말하였다.

"그대의 공부가 착실하고 재주도 무던하니 어찌 이 깊은 산 궁벽한 골짜기에 묻혀서 세월을 헛되이 보내리오? 지금 대국에 병란이 있어 바야흐로 영웅을 구하고 있으니 세상에 나가서 재주를 시험하고 이름을 이루어 공명을 세우면 자연 고국으로 돌아가기 쉬울 듯하도다. 이제 천문天門이 열리었으니 어서 급히 행장을 차려 황성으로 가거라."

하고 궤장櫃欌[107]을 열어 갑옷과 투구를 내어주었다.

"선생 슬하에서 평생을 모시려 하였는데, 이제 선생 명령을 듣사오니 어찌 슬프지 아니하겠습니까?"

"그대의 인정은 그러할 듯하도다. 그러나 나도 이곳 사람이 아니니라. 그대를 위하여 여태까지 있었던 것이니라."

"이제 이별하게 되었으니 존호를 가르쳐주시옵소서."

"봉래산蓬萊山 방장산方丈山 영주산瀛洲山[108]에 있는 사람이

---

107) 궤장櫃欌 : 함처럼 생긴 장롱.

108) 봉래산蓬萊山 방장方丈山 영주산瀛洲山 : 중국에서 상상하던 삼신산三神山. 동쪽 바다 가운데에 있어서 신선이 살고, 불로초와 불사약이 있다는 영산靈山.

고, 별호는 백운선생이라 하노라. 그대도 갈 길이 급하고 나도 갈 길이 급하니 부디 나아가 큰 공훈을 이루고 고국에 편히 돌아가라."

하고 공중으로 솟아 구름을 타고 떠나버렸다. 춘백이 망연해 하면서 공중을 향하여 두 번 절하고 말하였다.

"선생을 다시 모시기 어려우니 평안히 가시옵소서."

춘백이 추연惆然히 슬픔을 머금고 갑옷과 투구, 보검을 간수하여 간직하고 행장을 차려 떠나려 하였다. 이때 갑자기 천지가 자욱해지면서 비바람이 크게 일어나니 산악이 흔들릴 지경이었다. 춘백이 놀라고 두려워서 내다보니 오색의 용총마龍驄馬[109]가 구름을 헤치고 내려오고 있었다. 춘백이 반가운 마음에 쫓아가 외치며 말하였다.

"용총마야, 이리 오라. 너의 임자가 여기에 있노라."

그 용총마가 듣고 달려오며 시뻘건 입을 열고 소리를 질렀는데 마치 춘백을 반기는 듯하였고, 춘백이 달려들어 갈기를 어루만지며 경개傾蓋[110]하니 그 말도 또한 반기는 듯하였다.

춘백이 갑옷과 투구를 갖추고 용문검을 비스듬히 들고 말 위에 높이 앉아 채찍을 치며 황성으로 향하니 말은 번개 같고 사람은 비조飛鳥 같아 만 리 강산이 눈앞의 그림자처럼 가까운

---

109) 용총마龍驄馬 : 매우 잘 달리는 좋은 말, 용마龍馬.

110) 경개傾蓋 : 노상路上에서 우연히 만나 수레의 뚜껑을 마주 대고 서로 이야기하는 경우처럼 인사하고 서로 친해짐.

듯하였다.

황성으로 가는 도중에 날이 저물었기에 객관에 들어가 자고, 이튿날은 도화촌에 들어가 밤을 지내게 되었다. 이때 객창에는 외로운 등불만 일렁이고 인적도 없어 적막하였는데, 갑자기 한 젊은 장수가 남쪽 하늘로부터 황금 투구에 백표운갑白豹雲甲[111]을 입고 칠 척 장검을 들고 자류마紫騮馬를 몰아 나는 듯이 들어왔다. 그 젊은 장수는 앞 나무에 말을 매고 누각으로 올라오더니 두 손을 맞잡아 얼굴 앞으로 들어 올리고 허리를 앞으로 공손히 구부리면서 물었다.

"장군은 자개산에 있던 이장군이 아니십니까?"

"나는 과연 그러하거니와 장군은 어디 계시는 분입니까?"

"나는 과연 초나라 죽기촌 사는 최장이라고 합니다."

하며 편지를 주거늘, 떼어보니 봉래산 백운선생의 편지였다.

'낙화정에 머물고 있는 이장군은 나와 이별한 이후 별고 없는가? 초남에 사는 최장은 과연 남자가 아니니라. 이전의 병부시랑이었던 최공의 여식으로 용모는 절대가인이요, 장수의 전략은 예전 항우와 견줄 만하고, 검술은 참으로 장군의 짝이 될 만하도다. 장군과 전생의 조그마한 연분이 있어 장군께 가도록 지시하였으니 오늘밤 낙화정에서의 연분을 헛되이 보내지 말라. 또 여자인 자취를 숨기고 함께 전장에 나아가 공을 이룬 뒤에 함께 고국으로 돌아가라.'

---

111) 백표운갑白豹雲甲 : 흰 표범 가죽에 구름 모양으로 꾸민 갑옷.

춘백이 이 편지를 다 본 후에 최장에게 물어 말하였다.

"편지의 사연이 분명하니 무슨 의혹이 있으리오?"

최장이 말하였다.

"첩의 기질과 품성이 과연 남과 달라 외람되게도 대장부의 공명을 이루고자 하여 조금 공부하였는데, 다행히 장군과 전생 연분이 있어 찾아왔사옵니다.

첩의 부모는 이를 모르고 다른 데 혼처를 정하였다가 연분이 아니었기에 첫날밤에 남편을 잃고 독수공방獨守空房 홀로 지내고 있었습니다. 그러다가 얼마 전에 자개산 도사가 와서 하는 말이, '그대와 연분이 있는 사람이 나와 함께 있다가 이별한 뒤 모월 모일 낙화정에서 잘 것이니 부디 그 날을 어기지 말라.' 하고 편지를 주었습니다. 첩은 이미 쓸 데 없는 몸이 되었으나, 첩과 연분이 있는 사람이라 하기에 보고 싶은 마음도 있고 짐작하는 도리도 있어 이처럼 찾아 왔나이다."

춘백이 말하였다.

"일이 그러하오니 무슨 말을 더 할 수 있으리오."

최장이 갑옷과 투구를 벗고 여자의 옷을 입고 앉으니 용모는 옥을 깎은 듯하였고 아름답고 어여쁜 태도는 사람의 정신을 잃게 할 정도였다. 춘백이 마음에 쏙 드는 정을 이기지 못하여 나아가 앉아 희롱하며 말하였다.

"황금 갑옷을 입은 대장군은 어딜 가고 절대가인이 내 앞에 앉았느냐. 남자인가 여자인가, 장부의 간장을 다 녹이는구나.

다시 보니 분명한 여자로다."

또 말하기를,

"우리가 나이는 서로 맞지 아니하나 재주와 기량은 가장 서로 대적할 만하니 진실로 배필이로다."

하고 손을 서로 이끌고 침석에 들어가 동침하니 바깥사람들이야 이를 어찌 알리오. 그 이튿날 보는 사람들이 모두 어디서 저다지 묘한 장군이 왔는고 하며 칭찬하였다.

두 장수가 갑옷과 투구를 단단히 갖추어 입고 말 위에 높이 앉아 제비같이 떠나니 멀고 먼 황성이 지척처럼 가까웠다. 사시말巳時末[112] 오시초午時初[113]에 대궐문 앞에 이르러 이름을 적어 올리고 들어가서 천자를 알현하였다.

천자가 반가워하며 말하였다.

"장군들을 보니 어찌 즐겁지 아니하리오."

춘백이 아뢰어 말하였다.

"소장小將은 여남 자개촌에 사는 이춘백이옵니다. 국가에 위급한 일이 있다 하기에 신이 재주는 용렬하오나 군신의 도리로 어찌 앉아 지켜보기만 하겠습니까? 해서 천리를 멀다 하지 않고 왔나이다."

이어서 최장이 아뢰어 말하였다.

---

112) 사시말巳時末 : 사시巳時는 십이지十二支로 시간을 표시하는 여섯째로, 오전 9시부터 11시까지의 동안.

113) 오시초午時初 : 오시午時는 십이지로 표시하는 시각의 일곱째로, 오전 11시부터 오후 1시까지의 동안.

"소장은 초남에 사는 최양호이옵니다. 들으니 서번이 분수에 넘치는 뜻을 먹고 황성을 침범한다고 하옵기에 소장이 비록 재주는 없사오나 분한 마음을 이기지 못하여, 한번 전장에 나와 재주를 시험하옵고 폐하의 근심을 덜고자 하여 천 리를 멀다 하지 않고 왔나이다."

천자가 한껏 기뻐하고 친히 술을 부어 권하며 여러 장수를 불러 모두 인사하게 하였다.

이때 춘백이 조선 사신 이운학이란 말을 듣고 마음에 반가워서 고국 소식을 묻고자 하였으나 아직 초면이요, 천자의 앞이라 묻지 못하고 마음속에만 새겨두었다. 한편 운학은 여남 이춘백을 보니 자신의 부친과 성명이 같기에 성명만 같아도 마음에 절로 반갑게 느껴졌다. 또 여남에 있다 하니 외가 소식이나 묻고자 하여 더욱 반가워하였다.

천자가 각처의 맡은 임무를 정할 때, 운학을 대원수로 봉하고 절월節鉞[114]에 '대국대원수大國大元帥 대사마大司馬 대장군大將軍 동국충신東國忠臣 이운학'이라 썼으며, 이춘백은 '병마도총兵馬都摠 부원수副元帥 겸 좌익장左翼將'이라 써 걸었고, 최양호는 '병마도총 겸 우익장右翼將 촉국충신蜀國忠臣 최양호'라 써서 걸었다. 이어 그 나머지 장수에게도 각각의 과업과 임무를 정하여

---

114) 절월節鉞 : 절부월節斧鉞. 조선조 때 지방에 관찰사·유수留守·병사·수사·대장·통제사 등이 부임할 때 임금이 내어주던 절節과 부월斧鉞. 절은 수기手旗와 같고 부월은 도끼같이 만든 것으로 군령을 어긴 자에 대한 생살권生殺權을 상징하였음.

주었다.

이원수가 장대將臺[115]에 높이 앉아 여러 장수를 불러 의논하여 말하였다.

"여러 장수들은 각각 군사의 항오行伍[116]를 정렬하고 약속을 단단하여라. 내일 길을 떠나리라."

하고 이어 천자께 아뢰어 말하였다.

"폐하는 조그마한 서번을 근심치 마십시오. 내일 장차 전장으로 떠날 것이니, 오늘은 큰 잔치를 열어서 폐하의 즐거움을 돕고, 또 여러 장수와 군졸의 마음을 기쁘고 즐겁게 하는 것이 어떻겠습니까?"

천자가 또한 옳다고 생각하여 여러 신하들에게 명하여 큰 잔치를 열어 술과 고기를 쌓아 놓고 풍악을 울리게 하였다.

이어 천자가 말하였다.

"군중軍中에서는 다만 장군의 명령을 들을 뿐이고 천자에게 죄를 청하지 않는다고 하였다. 오늘 잔치에서는 대원수의 명령에 따라 각각 재주를 펼치며 즐기라."

여러 장수가 모두 배운 재주를 펼칠 때 혹 노래를 부르기도 하고 혹 비파를 타기도 하며 혹 거문고를 타기도 하여 좌중의 풍물風物[117]이 현란하였다. 이때 춘백이 최장과 함께 일어나

---

115) 장대將臺 : 성城 · 보堡 · 둔屯 · 수戍 등의 동서東西에 쌓아올린 장수의 지휘대.

116) 항오行伍 : 군대를 편성한 대오隊伍. 군사를 편성하는 대오로 한 줄에 5명을 세우는데 이를 오伍라 하고, 그 다섯 줄의 25명을 항行이라 함.

검을 마주하고 춤을 추니, 바람과 구름의 조화가 칼끝에 어리어 보는 사람의 눈을 황홀하게 하여 좌우의 여러 장수들과 군졸이 모두 정신을 잃고 구경하였다.

대원수가 말하였다.

"진중의 풍악이 모두 속되도다. 나의 통소 곡조를 들어보아라."

하고 소매에서 옥통소를 꺼내어 〈제왕태평지악帝王太平之樂[118]〉과 〈영웅득실지곡英雄得失之曲[119]〉을 부니 천자께서 들으시고 말하였다.

"어인 곡조인고? 세상에서 듣지 못하였고 처음 듣는 것이로다."

하고 친히 통소를 불어보니 소리가 나지 않아 괴이하다 하시고 즉시 조정에 가득한 여러 신하들에게 주어 불어보라 하였다. 그러나 모두 불어도 소리가 나지 않거늘 춘백이 이 통소를 받아 보니 곧 강릉추월 옥통소였다. 춘백이 한편으로는 놀라면서 또 통소를 보니 절로 눈물이 흘러 옷깃을 적셨다. 넋이 빠진 듯이 앉았다가 이윽고 대원수 앞에 나아가 무릎을 꿇고 앉아 물어 말하였다.

---

117) 풍물風物 : 농악에 쓰는 온갖 악기, 곧 꽹과리 · 날라리 · 소고 · 북 · 장고 · 징 따위를 통틀어 일컬음. 여기서는 여러 악기를 연주하며 즐기는 광경을 말함.

118) 제왕태평지악帝王太平之樂 : 역대歷代 제왕의 태평太平 치세治世를 표현한 악곡.

119) 영웅득실지곡英雄得失之曲 : 영웅이 세력을 잃고 얻는 것을 표현한 악곡.

"원수께옵서는 조선국 사신이라 하오시니 조선국 어느 곳에 사시며 어느 집 후손이시며 이 통소는 어디서 얻었습니까?"

대원수가 말하였다.

"장군께 조선국의 일을 말씀드린다하더라도 어찌 알 듯하여 묻는 것입니까?"

춘백이 말하였다.

"원수께서 조선국에 산다 하기에 묻는 것입니다."

대원수가 말하였다.

"소장小將은 조선국 강원도 강릉의 이감사 자제이옵고 이 통소는 소장의 집에 대대로 전해오는 보물입니다. 이 때문에 사신으로 올 때도 간수하여 온 것입니다."

춘백이 더욱 낯빛을 잃고 물어 말하였다.

"그러하면 대원수의 부친께서는 살아 있습니까?"

대원수가 말하였다.

"소장의 죄악이 너무 무거워 부친을 여의었기에 얼굴을 모르나이다."

춘백이 말하였다.

"통소는 대원수 댁에 대대로 전해오는 보물이라 하는데, 강릉 이감사는 자식이 없는 사람입니다. 천번 만번 생각해봐도 알 수 없는 일입니다."

대원수가 말하였다.

"중국에서 어찌 강릉 이감사의 일을 아시는 것입니까?"

그제야 춘백이 말하는 사이에 그 사이의 일을 깨닫고 만 가지로 생각하며 말하였다.

"처음 보는 처지에 말하기 난처하오나 용서하여 주시기에 조정에서 황송하게도 말씀을 드리는 것이니, 살펴 들어주십시오. 또 대원수께옵서도 놀라지 마십시오."

이어서 춘백은 대원수에게 자세히 물었다.

"원수께옵서 이감사의 자제이시면 유복자가 아니십니까? 또 대원수의 모친은 조부인이 아니십니까?"

"장군께옵서는 중국 사람인데 소장의 집일을 어찌 이리 자세히 아십니까? 소장은 과연 유복자이옵고 외가는 여남 조상서댁이로소이다. 장군께서 자세히 알고 계시니 장군은 본디 여남 사람이 아니십니까?"

춘백이 그제야 자신의 자식이 분명한 줄 알고 슬픔을 진정치 못하며 눈물을 머금고 자세히 말하였다.

"귀신이나 알지 사람은 알지 못할 것이다. 나는 과연 삭옥봉 이감사 이춘백이니라. 조부인을 데리고 황해도 감사로 갔다가 임기 다하여 돌아오는 길에 도적을 만나 참혹한 환란을 당하여 정녕 죽은 줄 알았었느니라. 그때 잉태한 지 칠 삭이었는데, 어찌 살아 너를 낳았느냐. 내가 과연 너의 부친이니라."
하고 달려들어 큰 소리로 울부짖으니 대원수도 그제야 부친인 줄 알고 엎어져 울면서 말하였다.

"불초자 운학이 아비를 몰라보았습니다. 아버님 기체氣體 안녕하시니 이루 헤아릴 수 없이 다행합니다. 슬프다, 무슨 일로 중국에 들어와 고향에 돌아가지 아니하셨습니까? 또 우리 조부님을 만 리 밖에 모셔 두시고 이다지 고생하셨습니까? 슬프다, 강릉추월이 아니었다면 오늘 서로 만났어도 어찌 알아보았겠습니까?"

하며 서로 붙들고 쓰러져 우니 여러 장수들과 군졸이 모두 세상에 기가 막힌 일이라 하며 감탄하였다.

천자께서 친히 술잔을 들어 권하며 위로하고 말하였다.

"장군 등 부자가 상봉한 것은 예전에도 지금에도 이 세상에서는 없었던 일이니, 어찌 슬프지 아니하며 어찌 놀랍지 아니하겠느냐? 부자의 인륜은 하늘이 아는 것이니, 하늘이 아니면 오늘날 어찌 만났겠느냐? 그러하나 나라의 대사가 가장 위급하니 마음을 너무 아파하지 말며, 슬프고 그립던 정다운 이야기는 장차하고 이 술을 받아 마시고 진정하여라."

대원수가 황제의 명에 따라 억지로 진정하고 그 부친을 위로한 뒤에 천자 앞에 나아가 땅에 엎드려 말하였다.

"소장이 전생 죄악이 지극히 무거워 아비를 잃었다가 만리타국에 와서 폐하의 덕택으로 오늘날 찾았고, 또 처음 만난 자리에 슬프고 반가워 다만 부자간의 정과 사랑만 생각하고 천자의 존전尊前에 망령되고 도리에 어긋나며 무례한 거동을 하였사옵니다. 엎드려 바라건대 폐하께서는 십분 짐작하시어 죄를 용서하옵소서."

천자께서 못내 칭찬하시며 손을 잡고 말하였다.

"장군은 하늘이 아는 충신이요 효자로다. 장군의 충효가 아니면 어찌 이곳에 와서 만날 수 있었겠는가?"
하며 백 가지로 위로하였다.

춘백이 아뢰어 말하였다.

"소장은 조선국 사람인데 여남에 산다 하였으니 나라를 속이고 황제를 기만한 죄를 용서하여 주시옵소서. 또 오늘날 자식을 만난 것은 폐하의 덕택이니, 소장이 앞뒤에 일어난 일을 모두 다 아뢰겠습니다.

그 퉁소는 과연 천상 선관에게 얻은 것이옵니다. 또 바다에서 풍파를 만나 옥문동이라 하는 곳에 가서 조부인을 만났습니다. 해주로 돌아오는 길에 도적을 만나 조부인과 퉁소를 잃었는데 어찌 자식의 손에 돌아올 줄 알았겠으며, 오늘 그 퉁소 때문에 아비와 자식이 서로 만날 줄 어찌 알았겠습니까? 또 대원수를 불러 옥퉁소를 얻은 사연을 낱낱이 들으시옵소서."
하니 여러 신하와 여러 장수들이 모두 감탄하며 서로 다투어 옥퉁소를 다시 구경하였다.

천자가 다시 춘백을 불러 불던 퉁소를 불라 하니 춘백이 옥퉁소를 잡아 청아하게 불었는데 그 부는 소리가 부자간에 조금도 다름이 없었다.

이윽고 날이 저물거늘 각각 정해진 처소에 나와 쉴 때, 춘백은 그 아들과 최장과 함께 머물렀다. 시간이 지나 인적은 고요하고 밤빛은 깊어갔는데 춘백이 말하였다.

"다른 사람들은 모르지만 우리 세 사람이야 몰라서 되겠는가? 과연 저 최장은 여자이니라."
하고 앞뒤의 사연을 자세히 이야기하니 대원수 또한 기뻐하며 말하였다.

"아버님은 만리타국에서 오래 고생하시다가 이렇게 인연을 만나게 되었으니 외롭지 아니하실 것이고, 또한 전장에 나가도 의지할 데가 있어 서로 조력하실 것이니 오죽 좋겠습니까? 저와 아버님이 만난 것이나 아버님이 최장을 만난 것이나 그 연분은 한 가지입니다. 조금도 미안하게 생각지 마시옵소서."

그 이튿날 대원수가 천자 앞에 들어가 아뢰어 말하였다.

"소장이 맡은 소임이 아비 위에 있사오니, 소장의 대원수를 다른 사람에게 주시옵소서."

천자가 말하기를,

"그럴 듯하다."
하고 맡은 바를 바꾸어 절월을 고쳐서 중국 대원수 대장군은 이춘백이라 하고 또 병마도총 부원수 좌익장은 조선국 충신 이운학이라 하였다. 이춘백이 들어가 대원수 절월을 높이 걸고 장대에 높이 앉아 장수와 군졸을 단속하여 그 다음날 출정하였다.

이때 문 밖에서 격서가 올라오니, 천자가 놀라고 당황하여 어찌할 줄 몰라 하며 출정을 재촉하였다. 이름난 장수가 칠십여

인이요, 정병精兵이 사만이니 장창의 섬광은 해와 달을 업신여길 듯하였고 함성은 산천을 진동시켰다.

여러 고을을 지나 너른 들판에 진을 치고 접전하니, 적진의 장수 강백이 나와 재주를 뽐내며 날 듯이 나아와 중국에서 출진한 황절과 황경을 베었다. 이에 좌익장 운학이 내달아 나오며 외치기를,

"적장 강백아, 너와 더불어 어찌 검술을 다투리오."

하고 말 위에 앉아 옥퉁소를 부니 그 청아한 곡조 소리가 구름 사이에 어리어 듣는 사람의 마음을 감동하게 하였다. 적진의 장수와 군졸이 모두 놀라 말하였다.

"초한 시대 장자방이 죽은 지 오래 되었는데 계명산 퉁소 소리 어찌 들리는가?"

강백은 넋을 잃고 무심히 듣고 서 있고, 적장 세 사람도 정신없이 듣고 있거늘, 운학이 이 틈을 타 네 명의 장수를 한 칼에 베었다. 이어 굴돌의 진을 습격하여 그를 죽이고 돌아왔다.[120]

이튿날 번왕이 후봉장으로 하여금 출전하라 하니 후봉장 항만적은 초남 사람으로 장수의 집안이며 항우의 후손이었다. 항만적은 음아질타지성噾啞叱咤之聲[121]을 잘 하였는데, 이 소리

---

120) 이 사이에 '이것은 백운암 노승이 몰래 도와주었기 때문이었다.'라는 구절이 있으나 앞뒤의 정황으로 볼 때 일치하지 않는다. 필사하는 과정에서 생략한 부분으로 보이며, 번역에서는 제외하여 앞뒤가 통하도록 바로잡았다.

를 지르면 천 사람이 저절로 목숨을 잃을 지경이었다.

운학이 후봉장이 나온다는 소리에 응하여 말을 타고 나가 항만적과 대적할 때, 최장이 바라보니 이는 곧 초남 사람 항만적이었다. 소리를 높이 질러 좌익장 운학을 부르고 또 대원수 춘백을 급히 불러 잠시 진정하라 하였다. 이어서 항만적을 부르니 항만적이 최장의 소리를 듣고 답하여 말하였다.

"최양호야, 나를 살리라."

최장이 대원수에게 고하여 말하기를,

"항만적은 곧 소장의 외사촌입니다."

하고 다시 나가 항만적의 손을 잡고 말하였다.

"그대 어찌 개 같은 번왕의 장수가 되었는고?"

항만적이 말하였다.

"초면에 괄시를 받는 것은 장수에게는 항상 있는 일이니 너를 괄시한다고 너무 섭섭하게 생각하지 말라."

최장이 다시 물어 말하였다.

"그러지 말고 참으로 진정을 자세히 말해보라."

항만적이 말하였다.

"내가 최장과 더불어 같은 문하에서 병서를 배우다가 최장이 떠났기에 간 곳을 알지 못하였다가 오늘 진중에서 만나니 너는 가히 초한 시절의 한신韓信[122] 팽월彭越[123] 같다고 할 만하도다.

---

121) 음아질타지성�啞叱咤之聲 : 분기가 한꺼번에 터져 나와서 큰소리로 꾸짖는 듯한 음성.

이들이 처음에는 초나라 장사였다가 다시 한나라에 가서 공을 이루었으니 영웅과 호걸이 오고가는 것은 병가에서 항상 있는 일이니, 조그마한 혐의가 있다고 해서 내가 어찌 최장을 괄시하리오."

그제야 항만적이 대원수와 이운학과 최장과 마음을 함께 하고 힘을 모아서 싸움에서 이길 약속을 정하였다.

다음날 적진의 장수 번평이 나와 재주를 자랑하며 거리낌없이 함부로 왔다갔다 하거늘 대원수가 백운선생에게 배운 도술로 그물망網 자를 써서 사방에 던지니 적진의 장수와 군졸이 모두 그물에 걸린 듯 꼼짝하지 못하였다. 대원수가 그제야 번평과 그 군사를 한 칼로 다 무찌르고 승세를 자랑하였다.

번왕이 그 분함을 이기지 못하여 이 날 밤에 불로 칠 계책을 준비하였다. 대원수가 그 계교를 미리 알고 즉시 그 아들 운학에게 퉁소를 불게 하니 최장이 이 소리를 듣고 항만적과 함께 이르러 말하였다.

"천기를 보니 화성火星이 우리 진중을 비추고 있습니다. 급히

---

122) 한신韓信 : ? ~BC 196. 중국 한漢나라 초의 무장. 회음淮陰 출생. 진秦나라 말 난세에 처음에는 초楚나라의 항량項梁 · 항우項羽를 섬겼으나 중용重用되지 않아 한왕漢王 유방劉邦의 군에 참가하였다. 승상 소하蕭何에게 인정을 받아 해하垓下의 싸움에 이르기까지 한군을 지휘하여 제국諸國 군세를 격파, 군사면에서 크게 공을 세움으로써 제왕齊王, 이어 초왕楚王이 됨.

123) 팽월彭越 : ? ~ BC 196. 중국 진나라 말기, 전한 시대의 인물로, 초한전쟁에서 한 고조를 도와 전한 왕조를 세우는 데 기여한 개국공신.

나아가 공격하지 마십시오."
하고 최장이 항만적과 더불어 대원수와 계책을 도모하였다.

그날 밤 번국에서 군사는 매복하고 장수는 갑옷을 갖추어 입고 치달려 쳐들어오거늘 운학이 날쌔게 몸을 움직여 말에 올라타고는 창검을 들고 우레같이 소리 지르며 좌충우돌하니 번국의 장수와 군졸이 가을바람에 떨어지는 낙엽처럼 스러졌다. 번진의 장수와 군졸이 물이 갈라지듯이 갈라질 때 운학이 우레 같은 소리를 지르자, 장수와 군졸이 기가 막혀 손발을 놀리지 못하고 서로 밟혀 죽으니 그 수를 헤아릴 수 없었다. 피가 흘러 내를 이루었고 나머지 군사들도 습격하여 없애니 여러 장수와 군졸들이 모두 치하해 마지않았다.

그 다음 날에 적장 오월백이 나와,

"어린 운학아, 어서 나와 내 칼을 받으라. 오늘은 너를 베어 어제의 원수를 갚으리라."
하고 천둥 벼락처럼 소리를 치자, 항만적이 말하였다.

"이 장수는 내가 가서 대적하오리다."
하고 출전하였다. 항만적이 보문검을 들고 오월백에게 달려들었는데, 오월백이 멀리서 바라보니 이는 곧 항만적이었다. 깜짝 놀라면서도 의심하여 말하였다.

"너는 귀신이냐? 귀신이라도 나를 버리고 어찌 적진에서 올 수 있느냐?"

항만적이 대답하여 말하였다.

"내 어찌 헛되이 죽을 수 있으리오. 너의 번왕이 영웅을 몰라보기로 나도 한신같이 대국을 섬기고자 하노라."

두 장수가 접전하였는데 그 재주가 신출귀몰하여 어찌 되는 줄 모르더니 이윽고 한 장수의 머리 땅에 떨어지거늘 모두 보니 곧 오월백의 머리였다. 항장이 칼끝에 꿰어 들고 돌아오니 모두 칭찬하였다.

그 이튿날 적장 패운만이 나오니 이 장수는 천하영웅인지라 대원수가 직접 나가려 하였다. 그러자 운학이 부친을 위하여 대신 나가 대적하였다. 최장이 따라 나가자 적장 만여개가 출전하였다. 최장이 적장 만여개 더불어 싸워 승부가 위태할 즈음에 운학이 옆에서 달려들어 번개같이 만여개의 목을 베었다. 이어 운학과 최장이 힘을 합하여 패운만을 칠 때 두 장수의 칼이 번뜩하더니 패운만의 머리가 말 아래 떨어지고 말았다. 그러자 그 나머지 장수는 추풍낙엽처럼 흩어졌다.

이 광경을 보고 번왕이 혼백을 잃어버린 듯 정신을 잃고 말에서 떨어지니, 운학이 산 채로 사로잡아 결박하여 앞세우고 본진에 돌아왔다. 이어 서로 승전고를 울리고 첩서捷書[124]를 써서 천자께 올려 보내고 번왕을 황성으로 데리고 갔다.

이 때 천자께서 승전의 첩서를 보시고 조정에 가득한 모든 신하들을 거느리고 남문 밖으로 나가 군대를 맞이하였다. 천자

---

124) 첩서捷書 : 전투 승리에 대한 소식이나 보고, 싸움에 이긴 보고를 쓴 글.

께서 대원수와 운학과 최장에게 치하하다가 항만적을 보시고 물었다.

"저 장군은 누구인가?"

최장이 말하였다.

"이 장군은 초남 사는 항만적이로소이다. 소장의 외사촌이옵고 장수로서의 지략과 기량은 천하제일이라 할 만한 명장입니다. 마침 저희에게 투항해왔기에 함께 공을 이루게 되었습니다."

천자가 칭찬하시고 찰리조제장오공을 봉하였다. 이어 승전곡과 파병악을 연주하니 그 소리가 천지를 진동하였다. 천자가 궁으로 돌아와 출전한 여러 장수들에게 차례로 봉작을 내려 각각의 직품을 올려주었다.

각설.

천자께 춘백이 아뢰었다.

"병란을 이미 평정하였사오니 신의 사정을 말씀드리겠습니다. 여남 조상서는 신의 빙부인데 찾아가는 것이 이미 늦었습니다."

천자께서 칭찬하며,

"인정이 당연히 그러하니 짐도 그대를 위하여 교서를 보내리라."

하고 교서를 봉하여 위의를 갖추게 하고, 또 길 떠날 채비를 갖추어 보내주었다.

이춘백이 그 아들과 최장과 함께 여남으로 먼저 편지를 보내고 나서 조상서 댁을 찾아가니 조상서 그 편지를 보고 반가워하며 말하였다.

"이별한 지 여러 해가 되었더니 그 사이 어디 가서 계시다가 이처럼 귀하게 되었습니까?"

춘백이 말하였다.

"다른 나라에 떠도는 행색으로 어디 간들 머물러 지내지 못하겠습니까? 너무나 뜻밖에도 황제의 은혜를 입어 이같이 되었습니다. 그러나 몇 년 전에 제가 상서 댁을 찾아온 것은 다름이 아니라 장인과 사위의 의리가 있었기에 왔었던 것입니다. 하지만 초면인지라 미안하여 아무 말도 못하고 갔던 것입니다. 그런데 너무나 뜻밖에도 제 자식이 사신으로 들어와 제 모친의 편지와 표시가 될 만한 증거를 가지고 왔기에 이제 와서 이야기를 드리는 것입니다."

조상서가 말하였다.

"장인과 사위의 의리라는 말은 천만 부당합니다. 상서의 합부인閤夫人[125]이 조씨입니까? 설령 조씨라도 저의 딸은 아닐 것입니다. 저는 중년에 여식을 하나 두었으나 백마강으로 화전놀이

125) 합부인閤夫人 : 남의 아내를 높이어 이르는 말.

갔다가 회오리바람을 만나 바다 속으로 들어갔으니 분명 죽었을 것입니다. 세상에 이 무슨 말입니까? 또 믿을 만한 표식이 있다고 하니 무엇인지 보십시다."

하고 한 명 한 명과 인사하면서 말하였다.

"이 사람은 누구입니까?"

춘백이 말하였다.

"이는 저의 자식입니다. 또 저 사람은 병부상서 최공인데, 친근한 정의가 남달라서 함께 왔습니다."

이어서 춘백이 천자의 교서와 조부인의 편지를 전하니 조상서가 받아가지고 내당으로 들어갔다. 조상서 부인 양씨가 이 말을 듣고 즉시 편지를 떼어 보니 다음과 같이 적혀 있었다.

> '불초 여식 채란은 두 번 절하고 아뢰옵니다. 슬프다, 여식의 팔자가 기구하고 험난하여 부모님 슬하를 떠나 만리타국에 와 있으니 한스럽습니다. 또 화전놀이가 한스럽습니다. 원수입니다! 백마강이 원수이고 동풍이 원수입니다. 만 리나 되는 푸른 파도에 떠밀려 고국을 떠나갈 때 저의 마음을 부모님께서는 아시겠습니까. 천만 번 죽을 곤액을 당했음을 부모님이 아시겠습니까? 죽자고 작정하니 원통하고 살자고 마음먹으니 아득하였습니다.
>
> 슬프다, 이내 몸은 고기밥이 될 번하였는데, 아, 설랑은 어찌 살자고 나를 설득하였던고? 옥문동에 들어가서 이공자를 만나 부모 허락 없이 혼례를 치르오니 창피하고 부끄러운 마음을

부모님은 아시겠습니까? 하느님이 시키신 일인가, 한심하고 가련하구나. 살아도 효도하지 못하는 목숨이요, 죽어서도 불효한 귀신이로다. 어느 세상에서 나를 용납해주겠습니까? 기구하고 험하구나 이내 팔자여. 눈 위에 다시 서리가 쌓인 형상이니 참혹하기 그지없구나.

해주로 돌아올 때 가장을 잃었으니 이내 몸의 운명이겠습니까, 운수에 따른 횡액이었겠습니까? 그러나 머리를 깎고 중이 되었으니 이것은 또 무슨 일입니까? 머리를 깎을 적에 부모님이 아셨다면 그 마음이 어떠하였겠습니까. 게다가 아, 칠 삭 유복자를 세 살 먹어서 잃었다가 하느님 덕택으로 십오 세에 다시 만났습니다.

다행히 저는 큰 탈 없이 무사히 있었습니다만, 그리워라 그리워라 부모님아, 언제나 다시 볼꼬. 다정하시던 부모님 얼굴이 눈에 삼삼 보고 싶고 간절한 부모님 말씀 귀에 쟁쟁 듣고 싶습니다.

무정한 저 달빛이 내게 와 비춘다면 이내 기별을 부모님께 전해 주소. 무정한 저 기러기 설월루 지나가거든 이내 소식을 전해 주소.

슬프다, 부모님아. 애지중지하던 딸을 잃고 마음고생이 오죽하겠으며 한 순간이라도 잊었겠습니까? 이내 간장도 썩어나니 살뜰하게도 보고 싶습니다.

슬프다, 내 몸소 못 가보고 아들이나 보내오니 날 본 듯이 보옵소서. 또 이내 고생하던 일을 자세히 들으소서. 붓을 잡아 쓰자 하니 눈물이 나 못 쓰겠고, 가슴이 절로 막혀 만분의 일이나 대강 기록하여 아룁니다.

슬프다, 부모님아. 나 같은 딸자식은 죽은 줄로 치부하고

생각지 마시고 기체를 보중하여 만수무강하옵소서.'

조상서와 양부인이 편지를 들어잡고 울며,
"허무하고도 불쌍하구나."
하다가 겨우 정신을 진정하여 말하였다.
"글씨가 분명하고 이름도 분명하고 적혀 있는 내용도 확실하니, 이제 무슨 의심이 있겠습니까? 그러나 또 표시가 될 만한 자취가 있다 하니 찾아보십시다."
하고 조상서가 외당에 나가 표시한 자취 보기를 청하였다. 이에 운학이 표적表迹을 넣은 봉서를 드리고 말하였다.
"떠날 때 어머님이 하는 말이, '은봉채 금봉채와 옥지환 은장도 등의 패물을 부용당 서창書窓 문 밖에 돌로 만든 함을 묻고 그 돌함 안에 옥으로 만든 함을 넣고 옥함 안에 그것을 담아 묻어두었노라. 이것은 아무도 모르는 것이니 지금까지 있을 것이다. 부디 자세히 찾으라.' 하더이다."
조상서가 표적을 가지고 내당에 들어가 보니 그 당시에 입고 간 저고리였다. 양부인이 수놓은 솜씨가 분명하였고 또 부용당 서창 문 밖에 석함을 파내니 과연 그 말과 같았다.
그제야 춘백을 부르기에 두 사람이 들어가니, 부자가 함께 들어가 인사할 사이도 없이 서로 틀어 안고 대성통곡하였다.
"슬프다, 사위야. 불쌍한 딸을 어떻게 만났던고? 우리 사위 이생은 무슨 운수와 액운이기에 타국에 들어와 이처럼 고생하는고?"

다시 운학의 손을 잡고 말하였다.

"슬프다, 운학아. 불쌍하구나! 너의 어미는 아무 탈 없이 잘 있느냐? 아득하고 망극하구나. 너희 부자가 여기에 올 줄 어찌 알았으리오. 이러한 소식을 가져왔으니 천금도 싸고 만금도 싸도다. 너 같은 자식을 만리타국으로 보낼 적에 불쌍하구나, 너의 어미는 심정이 오죽하였으랴.

그 사이 썩어 애타는 간장을 어찌 잊으리오. 정녕 이때까지 죽은 줄 알았더니 표적이 없었다면 우리도 믿지 아니하였을 것이다."

하며 수도 없이 통곡하니 그 모습을 차마 보지 못할 지경이었다.

춘백이 눈물을 거두고 위로하며 말하였다.

"빙모님, 진정하옵소서. 인정이 무궁하고 슬픈 마음을 그칠 수 없으나, 이처럼 마음 상해하지 마옵소서."

하니 조상서와 양부인이 그 딸 본 것처럼 못내못내 다정하게 여겼다.

여러 날 머무르다가 떠날 때를 당함에 조상서와 양부인이 이춘백 부자의 손을 잡고 말하였다.

"우리가 품은 마음을 생각하여 보시게. 어찌 훌훌 떠나보낼 마음이 있겠는가? 그러나 이미 만났으니 급히 돌아가 아내와 너의 어미를 다시 만나야 하지 않겠는가? 우리 딸이 자네를 만나면 그 마음 어떠하겠는가? 나도 차마 손을 잡고 머무르게 할 수가 없노라. 언제나 다시 보겠는가?

우리 늙은 것이 산들 얼마나 살겠는가. 살아도 다시 만난다는 생각조차 할 수 없고 죽어서도 못 볼 것이라. 슬프다, 다시 보기 어렵도다. 이제 막 처음으로 만났다가 만난 자식과 또 이별하게 되니 이별이 바로 영결永訣이로다. 우리 모습을 그려다가 우리 딸에게 전하여라."

조상서와 양부인이 편지를 써서 봉하고 금봉채와 옥가락지 은장도 등 여러 가지 패물과 일월금패와 성신주패를 함께 봉하여 주면서 말하였다.

"이는 저가 애지중지하던 것이니 가져다주어라. 또 저의 저고리는 내게 두고 가거라. 내가 저를 본 듯이 보리라."
하고 이별하였다.

이때 춘백이 천자께서 주시던 황금과 비단을 장인 장모께 정표로 주니 조상서와 양부인도 또한 중국의 귀한 보화를 정표로 주었다. 춘백이 슬픈 마음을 이기지 못하면서 하직하고 떠나니 조상서와 양부인은 그 딸을 새로 잃은 것 같았다.

춘백 부자가 최상서와 함께 황성에 도착하여 천자를 뵈었는데, 천자가 감탄하며 말하였다.

"운학을 마주 하고 있으니 이 세상에 그대와 같은 사람이 어디 있으리오? 중국 만 리나 머나먼 땅에서 잃었던 부친을 찾고, 또 수많은 군사들 속으로 뛰어 들어가 큰 공을 이루고, 게다가 외가를 찾아가 모친의 소식을 전하였으니 그대의 업적은 하늘처럼 지극하다 하겠도다."

운학이 천자에게 아뢰어 말하였다.

"신이 고국을 떠난 지 오래이옵고 또 조부모님을 뵙는 것이 급한데, 오래 머물러 있으니 이것이 신의 마음에 한이 됩니다." 하고 천자께 하직하고 여러 신하들과 이별하니 모두 애달프게 여겼다.

춘백 일행은 황성을 떠나 조선 땅의 경계에 다다라 압록강을 건너 의주에서 와서 묵었다. 이어서 선문을 띠우고 날마다 조금씩 차츰차츰 내려와 경성에 도착하였다. 성상을 알현하니 임금이 운학에게 말하였다.

"만리타국에 사신으로 가서 무사히 돌아오니 노고를 치하하노라."

이어서 춘백의 손을 잡고 말하였다.

"희한한 일이로다. 그대는 어디 있다가 이제야 왔느뇨? 참으로 죽었는가 했다가 다시 보게 되니 기쁘고 다행하기 그지 업도다. 운학은 과연 충효를 아울러 갖추었다고 할 만하도다."

다시 최양호를 가르키며 물어 말하였다.

"저 사람은 누구인가?"

춘백이 대답하였다.

"그는 초나라 사람 최시랑의 아들 양호라고 합니다."

임금이 말하였다.

"초나라 사람을 어찌 만났으며 어떻게 함께 온 것인가?"

춘백이 말하였다.

"최양호는 만고에 없는 명장입니다."

하고 처음 만났던 사연과 운학을 만나던 사연과 대국에서 서번과 싸워 전쟁에서 이겼던 사연을 하나하나 아뢰니 임금이 들으시고 수없이 칭찬하였다.

며칠 동안 잔치를 벌인 뒤에 임금께서 운학을 부마에 봉하시고 최양호는 우의정의 사위로 정하니 최양호가 임금께 아뢰어 말하였다.

"소장이 남자면 좋으려니와 여자인데 어찌 여자에게 장가를 가오리까?"

춘백이 임금께 아뢰어 말하였다.

"외람되지만 그와는 조그마한 연분이 있기에 이미 인연을 맺었나이다."

임금이 칭찬하시고는 춘백을 영의정에 제수하시고, 이어서 조부인은 좌부인으로 정하고 최부인은 우부인으로 정하였다. 운학에게는 판서를 제수하고 공주와 혼인 자리를 마련하여 대궐 안에서 혼례를 치루니 그 위엄과 예의가 거룩하였다.

삼일이 지난 뒤에 우상右相이 집을 마련하니 춘백이 집을 정하였고 집안의 물품과 가재도구 등은 모두 나라에서 장만하여 주었다.

춘백이 최부인을 집에 데려다 두고 즉시 대궐에 들어가 그 앞뒤의 일을 아뢰니 임금이 강릉으로 떠날 것을 허락하고 채비를 마련해주었다. 이에 춘백 부자가 임금을 하직하고 급히 떠나 강릉에 도착하여 집에 들어가니 춘백의 집에는 이미 각읍의 수령들이 도착하여 함께 큰 잔치를 열고서는 춘백 부자를 기다리고 있었다.

운학이 먼저 조부모와 조부인께 안부를 묻고 울면서,

"아버님이 이제 슬하에 오나이다."

하고, 조부인에게는,

"어머님아, 아버님이 이제 오시나이다."

하니, 모두 반갑고도 슬픈 마음에 울지 않는 이가 없었다. 집안이 놀라 요동할 즈음에 춘백이 달려 들어와 부모님 앞에 엎드려 울면서 말하였다.

"불초자식 춘백이 왔나이다. 부모님 기체 안녕하시나이까? 슬프다, 부모님은 춘백이 하나만 믿고 있다가 자취 없이 잃은 뒤에 슬픈 마음을 어떻게 진정하셨습니까? 제가 어버이 걱정하는 마음을 전혀 두지 못하여 부모님의 참마음을 알지 못하옵고 만리타국을 떠돌아다녔사오니 죽어도 죄를 용서받지 못할 듯합니다."

하고 슬피 통곡하였다.

그 부모가 아들의 손을 잡고 말하였다.

"슬프다, 춘백아. 울지 말고 마음을 진정하여라. 너를 보니 반갑고도 슬프도다. 춘백아, 정녕 죽은 줄 알았더니 이렇게 살아 올 줄 어찌 알았겠느냐. 악착같이 보고 싶고 야속하게 보고 싶었다. 이제 너를 다시 만났으니 오늘 죽은들 무슨 한이 있으리오.

불쌍하다, 너의 아내. 만 리나 되는 거대한 바람과 파도 속에서 너를 잃고서 속절없이 죽었을 목숨이 푸른 숲속에 나비가 깃들 듯 머리를 깎고 중이 되어 지냈노라. 네 아내 거동을 보니 다시 슬퍼지는구나."

하며 목이 잠겨 울음소리마저 잦아들었다.

춘백이 그제야 조부인을 돌아보니 조부인은 아무 말도 못하고 묵묵히 서 있다가 눈물만 흘리고 있었다. 춘백이 더욱 참혹하게 여겨 조부인의 손을 잡고 말하였다.

"슬프다, 부인은 어떻게 살아났는고? 또 그 사이에 어찌 지냈는고? 내가 이제 살아왔으니 무슨 염려를 하리오. 운수와 곤액이 지극히 험난하여 환란 가운데서 이별하였고 또 이내 인정이 매몰차서 부인을 찾아가지 아니하였도다. 슬프다, 나는 어쩌다 만 리 머나먼 타국에 들어갔다가 강릉추월 옥퉁소로 부자가 상봉하였도다. 그렇지 아니하였던들 어찌 오늘날 우리가 만났으리오."

하며 기운이 쭉 빠져 엎드려 울지도 못하고 눈물만 흘리니, 조부인이 수건을 들어 춘백의 눈물을 닦으며 말하였다.

"상공은 진정하옵소서. 그리워하던 마음이 백 년을 울고 천 년을 울면 다 없어지겠습니까? 저도 같이 울자 하면 상공만큼 눈물도 있고 슬픈 마음도 있사옵니다. 그러나 상공의 아픈 마음이 더욱 상할까 싶어 억지로 참는 것입니다. 아, 상공은 제 속이 썩는 줄은 아셨습니까? 그말 저말 다 그만두고 만난 것이 천만 다행한 일입니다. 눈물을 거두시고 부모님을 위로하십시오. 또 외당에 존귀한 손님이 많이 왔사오니 그리워하던 마음은 차차 말하고 나가서 손님을 대접하시옵소서."

춘백이 나간 뒤에 운학을 불러 말하였다.

"너의 외가를 찾아가 보았다 하니 외조부모님 기체 안녕하시더냐? 네가 외가를 찾아가 보았으니 무슨 여한이 있겠느냐."

하고 편지를 열어보았다.

> 슬프다. 내 딸 채란아, 잘 있느냐. 네 어이 우리를 버리고 만리타국에 갔느냐. 구름에 쌓이어 갔느냐, 바람에 붙어서 갔느냐. 하늘이 보내더냐, 귀신이 데려가더냐.
>
> 불쌍하다, 채란아. 우리들이 너를 낳아 길러 천금같이 생각하고 주옥같이 사랑하여 자라난 뒤에 영화를 보려 하였더니 슬프다, 너의 신세와 운명이 그리 될 줄 어이 알았겠느냐? 바람과 파도를 만나 떠내려 갈 적에 놀라지 않았느냐?
>
> 불쌍하다, 설랑아. 어찌 함께 가게 되었느냐? 도적을 만나 어지럽고 혼란한 속에서 어찌 살아났더냐. 슬프다, 너의 신세여. 머리를 깎고 중이 되었다니 웬 말이냐? 고생이 무궁하였으

니 네 마음이 오죽하였으랴?

기특하다, 설랑아. 불쌍하다, 설랑아. 나의 딸이 가장을 잃고 너 아니었다면 어찌 진정하였겠느냐. 만고에 없는 풍상을 여러 해 동안 지냈으니 그 형상이 오죽하겠느냐?

슬프다, 채란아. 너의 가장과 아들을 너를 본 듯이 만나 보니 너의 얼굴 대면한 듯 더욱 슬퍼지더구나. 언제나 다시 볼꼬? 바다와 하늘이 아득하고 아득하니 기별인들 들을 수 있겠느냐? 살았다 한들 어찌 보겠으며 죽었다 한들 어찌 알 수가 있겠느냐? 네가 보낸 비단 저고리를 너 본 듯이 두고 보니, 은봉채 금봉채와 옥지환 은장도는 날 본 듯이 두고 보아라. 이번 인편에 이 편지가 마지막이자 영결이니 부디 부디 잘 있거라. 할 말이 무궁하나 애달프니 어찌할꼬? 좋게좋게 잘 있거라.

조부인이 편지를 다 본 후에 뼈마디가 다 녹는 듯하고 가슴이 절로 막혀 가슴을 두드리며 실성통곡하니, 눈물이 비처럼 떨어져 옷깃을 적시고 편지마저 적셨다.

이를 보던 운학이 고하여 말하였다.

"어머님은 진정하옵소서. 우리가 각각 가서 외조부모님을 뵈었으니 오히려 다행이라 할 것입니다. 또 아버님을 만났으니 무슨 한이 있겠습니까. 아버님을 보아 슬픔을 참으십시오."

그제야 조부인이 울음을 그치고 친정 소식을 자세히 물었다.

춘백이 외당의 손님을 전별하고 들어와 그간 고생하던 말을 물은 뒤에 백운선생이 노래하여 기별 전하던 일을 말하며 신기한 일이라 여겼다. 또 천불암 부처님의 공덕으로 운학이 약병으로 부인을 구하여 살려내던 사연을 듣고는 운학을 칭찬하였다. 이어 백운선생이 최부인을 보낸 사연과 최부인이 장수되어 전장에 같이 가 공을 이룬 뒤에 중국에서 벼슬한 일과 나중에 여자인 줄 알고 자기와 부부가 된 사연을 말하였다.

또 임금께서 두 부인에게 벼슬을 내려 조부인은 좌부인에 봉하고 최부인은 우부인에 봉하여 직첩職帖[126]을 주신 일과 장계에 비답을 내리신 일을 칭송하고 또 가사家舍를 장만하여 주던 일과 운학이 장가들던 일을 모두 자세히 이야기하니 조부인이 앞뒤의 일들을 모두 듣고 칭찬하며,

"그렇다면 그 부인을 보여 주지 않으시겠습니까? 우선 궁금합니다."

하니 그 부모도 그 말을 듣고 즐거워하셨다.

집안 가사와 전답을 모두 내다 팔고 또 서역국의 가장도 모두 내다 팔아 모두 경성으로 올라가서 각각 처소를 정하고 춘백과 조부인은 그간 고생하고 부모님이 그리워하던 일을 소일 삼아 말하며 즐겁게 지냈다.

운학은 두 부인과 조부모님께 효성을 다하여 아침저녁의 진지와 때마다의 의복 등에 정성을 하였으며, 예의범절을 지극한

126) 직첩職帖 : 조정으로부터 내리는 벼슬아치의 임명 사령서辭令書.

정성으로 갖추었다. 또 낮이면 나라의 일에 충성스러운 마음으로 극진히 받들었다.

춘백 부부는 후원에 칠성단七星壇[127]을 쌓고 또 백운암과 천불암에 나아가 부처님께 지성으로 축원하였다. 또 서역국은 자손을 두어 대를 잇게 되었다.

운학은 아들 칠형제를 두었는데 각각 금지옥당金池玉堂[128]에 있으니 명성과 인망이 나라에서 제일이었다. 이리하여 나라가 태평하고 오곡백과가 풍년이 드니 백성들이 격양가擊壤歌[129]를 불렀다.

세상 사람이 모두 효도와 충성을 극진하게 하고 지극한 정성을 다하여 마음을 쓰면 절로 이렇게 될 것이니, 부디부디 충효를 일삼아야 하지 않겠는가.

---

127) 칠성단七星壇 : 북두北斗의 일곱 성군星君, 곧 탐랑貪狼성군 · 거문巨文성군 · 녹존祿存성군 · 문곡文曲성군 · 염정廉貞성군 · 무곡武曲성군 · 파군破軍성군의 일곱 신을 모신 단.

128) 금지옥당金池玉堂 : 금지金池는 절이며, 옥당玉堂은 홍문관弘文館의 별칭이니, 곧 조야朝野의 요처要處라는 뜻.

129) 격양가擊壤歌 : 풍년이 들어서 농부가 태평한 세월을 즐기는 노래를 이르는 말. 중국 요임금 때 늙은 농부가 태평한 세월을 즐거워하며 땅을 치면서 부른 노래라고 함.

III. 〈강릉추월전〉 원문

P.1

강원도 강능ᄯᅡᆼ 삭옥봉 하에 ᄉᆞᄂᆞᆫ ᄉᆞ람 이스되 성은 이요 명은 춘[ᄇᆡᆨ이라] 용모가 청숙ᄒᆞ고 옥그로 ᄶᅡᆨ근 덧ᄒᆞ며 ᄌᆡ질리 명민ᄒᆞ여 고금세ᄉᆞ를 [무불통달]ᄒᆞ여 문ᄌᆞᆼ명필노 천명ᄒᆞ더라 나이 십사 세에 위인니 준수ᄒᆞ고 날 [□ □ □]을 조ᄒᆞ하더니 ᄒᆞ로난 삭옥봉을 올나가니 시야장반의 월ᄉᆡᆨ[이 광명]하고 수목은 심수ᄒᆞ와 추풍은 소슬ᄒᆞ야 동학ᄋᆡ 유슈난 잔[잔ᄒᆞ고 야색]은 적요ᄒᆞᆫᄃᆡ 홀연이 옥소 소ᄅᆡ 풍편ᄋᆡ 은은이 들이거날 마음ᄋᆡ 고이ᄒᆞ[야 소]ᄅᆡ을 ᄯᅡ라 철석 봉두리를 올나가이 엇더ᄒᆞᆫ 청아ᄒᆞᆫ 소연이 월ᄒᆞ예 혼자 안ᄌᆞ 옥소을 잡고 월ᄉᆡᆨ을 히롱ᄒᆞ니 청ᄋᆞ한 곡조 소ᄅᆡ 운간ᄋᆡ 어리여 ᄉᆞ람ᄋᆡ 마음을 감동ᄒᆞ난지라 진루 명월ᄋᆡ ᄌᆞ진ᄋᆡ 통소런가 계

P.2

명산 추야월ᄋᆡ 장ᄌᆞ방ᄋᆡ 곡조ᄂᆞᆫ 오히려 속된다 ᄒᆞ더라 춘ᄇᆡᆨ이 마음에 ᄃᆡ열ᄒᆞ야 염슬단좌ᄒᆞ고 인사를 통ᄒᆞ니 그 소연이 이식히 보다가 그 곡조을 긋치고 문 왈 그ᄃᆡ가 이춘ᄇᆡᆨ이 아니잇가 그ᄃᆡ를 보려ᄒᆞ고 이 곳ᄃᆡ 왓더니 인ᄌᆡ야 만ᄂᆡ니 반갑도다 ᄒᆞ고 홀연히 통소를 불며 월 이ᄂᆞᆫ 곳 쳔상 ᄇᆡᆨ옥누 선관의 옥소라 일홈은 강능추월이라 ᄶᅡᆨ겨스ᄃᆡ 인간의 업ᄂᆞᆫ 거시오 천ᄉᆞᆼ 선관

니 그ᄃᆡ을 ᄋᆡ중이 여겨 보ᄂᆡᆫ 거신니 간수ᄒᆞ여 공부ᄒᆞ면 ᄌᆞᆼᄂᆡᄋᆡ
쓸 ᄃᆡ 이스리라 ᄒᆞ고 주거날 춘ᄇᆡᆨ이 ᄌᆡᄇᆡᄒᆞ고 옥소를 바다 단정
이 안ᄌᆞ 분ᄃᆡ 그 소ᄅᆡ 청아ᄒᆞ야 그 선동과 다름이 업더라 그
소연이 ᄃᆡ히하여 월 부ᄃᆡ 공부ᄒᆞ여라 남아 세ᄉᆞᆼ에 쳐ᄒᆞ여 전정
니 짓고 인간만ᄉᆞ은 창ᄒᆡ에 편주라 그ᄃᆡ 이 의미늘 알손야

P.3

강능추월 옥소 일홈 분면ᄒᆞ니 천추에 유전ᄒᆞᆫ들 엇지 의미늘
일즐손야 말이 밧게 ᄯᅥ나거던 엇지 이즐손야 오날밤 ᄉᆡᆨ벽에
초강부평이라 다시 보긔 어려워라 ᄒᆞ고 ᄉᆞᆷ경신풍에 몸을 소소
와 공중을 향ᄒᆞ야 올나가거늘 춘ᄇᆡᆨ이 ᄋᆡ연ᄒᆞᆫ 맘음을 이긔지
못ᄒᆞ여 절ᄒᆞ고 집을 도라와서 신긔ᄒᆞᆫ 맘음 ᄋᆡᆨ이지 못ᄒᆞ야 나지
면 시흥을 탐ᄒᆞ와 이ᄐᆡᄇᆡᆨ 시늘 화답하고 밤이면 월ᄉᆡᆨ을 탐ᄒᆞ야
튱소을 히롱ᄒᆞ면 세월을 보ᄂᆡ더라 잇ᄯᆡᄂᆞᆫ 춘삼월 호시절리라
정화ᄂᆞᆫ 작작ᄒᆞ고 세류은 요요ᄒᆞ여 만경ᄎᆞᆼ파 ᄉᆞᆼ에 일엽편주에
올나 ᄒᆡ상 풍경을 구경ᄒᆞ며 옥소로 히롱ᄒᆞ던니 홀연 광풍이
ᄃᆡ작ᄒᆞ니 편주가 추풍낙엽갓치 ᄯᅥ나가니 봉ᄂᆡ산니 어듸믠요
약수삼쳘이 아ᄆᆡ도 지쳑인가 강능이 어ᄃᆡ믠요 향산니 묘연ᄒᆞ야
정신을 졔우 ᄎᆞ려 ᄉᆞᆫ천을 ᄉᆞᆯ편보니 천ᄋᆡ지ᄀᆡᆨ이

P.4

향할 고지 업난지라 이ᄉᆞᆨ하야 바람은 잠을 자고 곡조난 고요ᄒᆞ
여 순식간에 한 고ᄃᆡ 달다나 ᄇᆡ가 뭇ᄐᆡ 다히거늘 ᄇᆡ줄을 ᄊᆞᆫ겨

ᄆᆡ고 뭇ᄐᆡ 나서 보니 십여 장 석탑 우ᄋᆡ 석문을 다라ᄂᆞᆫ지라 그 우에 ᄃᆡ웅 전자로 ᄊᆡᆨ게쓰되 옥문동이라 ᄒᆞ엿더라 문 안ᄋᆡ 들어가서 사고방황ᄒᆞ니 인가도 업고 ᄉᆞ람도 보지 못할너라 ᄒᆡ풍에 비겨서 남ᄃᆡ히로 바ᄅᆡ보니 엇터ᄒᆞᆫ 옥낭ᄌᆞ 두리 녹의홍상에 칠보단ᄌᆞᆼᄒᆞ고 일월작ᄑᆡᄂᆞᆫ 옷고로ᄆᆡ ᄌᆡᆼᄌᆡᆼᄒᆞ고 ᄒᆞᆫ도ᄎᆡᄇᆡᆨ을 우수로 낫틀 가리오고 청삼수건은 좌수로 눈물을 싹그며 연회보로 단정이 나오거날 춘ᄇᆡᆨ이 그 거름을 보고 마음에 아람다와 다시 보와도 조선 물ᄉᆡᆨ이 아니라 갈기을 피차ᄋᆡ 주저ᄒᆞ다가 문 왈 낭자ᄂᆞᆫ 어ᄃᆡ 계시며 무삼 일노 슬품을 머금고 이 고ᄃᆡ와 게신잇가 그 두 낭ᄌᆞ 청선으로 낫츨 가리오고 도라서며 아못말됴 안니ᄒᆞ거날 춘ᄇᆡᆨ이 문 왈

P.5

낭ᄌᆞ의 ᄒᆡᆼᄉᆡᆨ이 가긍가ᄋᆡᄒᆞ다 어ᄃᆡ 잇난 줄 모로거이와 후ᄒᆡᆼ도 업서 여ᄌᆞ 두리 오니 혹 후ᄒᆡᆼ을 일코 우난닛가 혹 길을 일코 우난잇가 그리치 아니ᄒᆞ면 연약ᄒᆞᆫ 마음에 무어시 서러 우난잇가 ᄒᆞ니 그 뒤의 선 낭ᄌᆞᄂᆞᆫ 다만 압ᄑᆡ 선 낭ᄌᆞ만 보고 그 압ᄒᆡ 선 낭자ᄂᆞᆫ 아미을 수기고 옥성을 나즉히 ᄒᆞᄂᆞᆫ 말리 우리ᄂᆞᆫ 중국 여남ᄡᅡᆼ ᄉᆞ람이옵터니 이 곳지 어ᄃᆡ 줄 모로나이다 ᄂᆡ 뒤에 선 낭ᄌᆞᄂᆞᆫ 여남 ᄡᅡᆼ 소주 조상서 ᄯᆡᆨ 낭ᄌᆞ옵고 나난 낭ᄌᆞ의 시비로소이다 춘ᄇᆡᆨ이 왈 불상ᄒᆞ다 그러ᄒᆞᆫ 귀공ᄯᆡᆨ 낭ᄌᆞ 무ᄉᆞᆷ 일노 규중을 ᄯᅥ나 이 곳ᄃᆡ 오리요 ᄒᆞ니 시비 왈 춘풍화전에 동유를 ᄯᅡ라 화전 차로 ᄒᆡ상에 나가 ᄇᆡ를 타고 노다가 풍파를 만ᄂᆡ 이 곳ᄃᆡ

왓사오니 이 고지 어ᄃᆡᄆᆡ잇가 춘ᄇᆡᆨ이 왈 이 고즌 옥문동이라 ᄒᆞ거니와 나도 과연 조선국 사람으로 풍파을 맛ᄂᆡ 처음으로 왓ᄉᆞ오니 엇지 말이타국에 우리 피차 소궁동이라 서로

P.6

불상이 아라 고초이 ᄉᆡᆼ각지 말나 ᄯᅩᄒᆞᆫ 날리 저무러쓰니 이갓치 무인지경ᄋᆡ 밤을 엇지 지ᄂᆡ리오 ᄯᅩ 석문을 보오니 필연 인가 이스리라 드려가 보랴 ᄒᆞ고 압ᄑᆡ서 인도ᄒᆞ니 그 시비 ᄯᅩᄒᆞᆫ 낭ᄌᆞ를 다리고 ᄯᅡ라오더니 이화만발ᄒᆞᆫ 속그로 ᄎᆞᄌᆞ들어가니 주궁ᄑᆡ궐이오 동학에 나서보니 집은 이스나 엇던 집인 줄 몰나 의심ᄒᆞ여 ᄌᆞ저ᄒᆞ다가 드러가 보긔를 다시 ᄉᆡᆼ각ᄒᆞ고 ᄯᅩ 일모도궁ᄋᆡ 엇지 할 줄 몰나 점점 드러가며 살펴보니 집은 이스나 엇던 집인 줄 모로와 ᄌᆞ저ᄒᆞ다가 옥문동이라 ᄡᅧᆺ게 잇고 청홍ᄉᆞ 비단으로 ᄃᆡ서특ᄌᆞ ᄒᆞ여거날 ᄌᆞ서이 보니 ᄒᆞ여스되 모월 모일에 조선ᄉᆞ람 이춘ᄇᆡᆨ이와 중국 여남ᄶᅡᆼ 조낭자와 시비 설낭이 드려오리라 ᄒᆞ여거날 마음ᄋᆡ 놀ᄂᆡ 시비로 더부러 이웃긔 보다가 드러간니 청학 ᄇᆡᆨ학은 왕ᄂᆡᄒᆞ고 ᄋᆡᆼ무 공작은 넘노난ᄃᆡ 인적은 고요ᄒᆞ고 ᄯᅩ ᄒᆞᆫ 문ᄋᆡ 드러가니 청삽사리 진ᄂᆞᆫ 소ᄅᆡ 나고 ᄯᅩ ᄒᆞᆫ 노구 나와

P.7

흔연이 웃고 왈 션군이 엇지 이 고ᄃᆡ 왓ᄂᆞᆫ요 ᄒᆞ며 외당으로 인도ᄒᆞ고 다시 조낭ᄌᆞ의 손을 잡고 왈 어이ᄒᆞ여 이 고즐 ᄎᆞᄌᆞ오

신잇가 ᄒᆞ며 안으로 들러가거날 낭ᄌᆞ ᄉᆞ면을 살펴보니 그 집에 ᄂᆞᆫ 남정은 업고 다만 노구뿐니라 이식ᄒᆞ야 노구 석반을 드리거 날 춘빅 왈 노구ᄂᆞᆫ 오늘날 ᄂᆡ게 활인지불리라 날갓치 망조ᄒᆞᆫ ᄉᆞ람을 구면갓치 ᄃᆡ접ᄒᆞ니 감ᄉᆞ무지로소이다 존호란 뉜신잇가 노귀 왈 나ᄂᆞᆫ 남이 이르기을 옥문동 ᄎᆡ약ᄒᆞᆯ미라 ᄒᆞ나이다 춘빅 이 왈 그려ᄒᆞ시면 우리 오날 올 줄 어이 아라신닛가 노귀 왈 일전에 천ᄉᆞᆼ으로 ᄒᆞᆫ 선관이 그 글을 문에 붓치고 날다려 힝예씨 긔라 ᄒᆞ여이다 ᄒᆞᆫᄃᆡ 춘빅이 괴상이 너기고 석반을 먹그니 노귀 안으로 드러가 낭ᄌᆞ 머리을 어로만지면 왈 어렵ᄉᆞ외다 낭ᄌᆞ야 ᄌᆞ식이 저러ᄒᆞ거던 엇지 ᄒᆞ나리 모로리오 연연ᄒᆞᆫ 고은 낭ᄌᆞ 이러ᄒᆞᆫ

P.8

혐노예 엇지 오신고 ᄒᆞ며 음식을 권ᄒᆞ니 낭ᄌᆞ 왈 노구ᄂᆞᆫ 뉘신잇 가 노구 왈 나난 이 동구의 ᄎᆡ약ᄒᆞ난 할미라 ᄒᆞ나이다 집은 남ᄌᆞ 업ᄉᆞᆸ고 ᄂᆡ 혼ᄌᆞ 이스니 낭ᄌᆞ난 평안이 쉬옵소서 낭ᄌᆞ 왈 날갓ᄒᆞᆫ ᄉᆞ람을 주인니 아르시고 이다지 강권ᄒᆞ시잇가 노귀 소 왈 낭ᄌᆞ 이리오시긔ᄂᆞᆫ ᄒᆞ날리 지시ᄒᆞ신 빅오 그러나 종ᄎᆞ 말삼 ᄒᆞᄉᆞ이다 ᄒᆞ고 외당으로 나가 석반을 물이고 왈 선군은 오날밤 은 과연 훌훌ᄒᆞ오나 잘 지ᄂᆡ옵소서 ᄒᆞ고 ᄂᆡ당으로 드려가 등촉 을 발키고 낭ᄌᆞ와 설낭을 다리고 수작ᄒᆞ실ᄉᆡ 낭ᄌᆞ 왈 망조ᄒᆞᆫ 힝식이 처음으로 노구를 만ᄂᆡ 편니 쉬오니 노구 덕퇵이오나 고국의 도라가계 ᄒᆞ옵소서 노구 웃고 왈 낭ᄌᆞᄂᆞᆫ 어이 이러ᄒᆞ신

말슴ᄒᆞ시ᄂᆞᆫ잇가 선군 만ᄂᆡ기도 천힝이오 ᄯᅩ 노구 만ᄂᆡ기도 천힝이오 이 일은 하날리 ᄒᆞ시ᄂᆞᆫ 일리라 노구 엇지 고국을 가ᄀᆡᄒᆞ리오 ᄒᆞ니 낭ᄌᆞ 수괴지심을 머금고 고ᄀᆡ

P.9

을 수기고 다시 아모 말도 못ᄒᆞ고 안ᄌᆞ쓰니 설낭 왈 우리 낭ᄌᆞᄂᆞᆫ 규중처ᄌᆞ라 임으로 히롱마옵소서 아모려 ᄒᆞ여도 고국예 도라가게 ᄒᆞ와 주시오 노구 왈 ᄂᆡ 이미 아ᄂᆞᆫ 일리라 엇지 히롱ᄒᆞ리오 낭ᄌᆞ의 수익이 부모를 이별ᄒᆞ고 이리온 거시 하나리 지시ᄒᆞ신 일리요 ᄯᅩᄒᆞᆫ 천승연분 ᄆᆡ즈쓰니 풍파 만ᄂᆡ 이리온 것도 ᄒᆞ나리 지시ᄒᆞ미라 ᄒᆞ물며 ᄒᆞ날리 지시ᄒᆞ신ᄃᆡ ᄒᆞᆫᄒᆞ온들 엇지 ᄒᆞ오릿가 명일은 이선군과 조낭ᄌᆞ와 숨싱가약을 ᄆᆡ즐리라 시비ᄂᆞᆫ 글리 아옵소서 천명과 천힝을 어긔지 마옵소서 설날이 그 말 듯고 곰곰 ᄉᆡᆼ각ᄒᆞ니 운수소관이라 유인니 안니라 ᄒᆞ고 할 길 업서 낭ᄌᆞ계 고 왈 우리 신운이 불힝ᄒᆞ와 부모을 이별ᄒᆞ고 이 지경을 당ᄒᆞ오니 이졔 임미 고국ᄋᆡ 도라가지 못ᄒᆞ문 천시와 천익을 어긔지 못ᄒᆞ미니 낭자의 신ᄉᆡ 엇지 될 줄 아리요 낭ᄌᆞ난 잠시 수괴지심으로 ᄇᆡᆨ연가약을 난처

P.10

ᄒᆞ다 마옵소서 낭자 마암에 ᄉᆡᆼ각ᄒᆞ되 할 길 업ᄂᆞᆫ지라 ᄒᆞᆫ숨짓고 이윽히 안ᄌᆞ다가 소ᄅᆡ을 나직히 ᄒᆞᄂᆞᆫ 마리 그만 이을 ᄂᆡ 엇지 알손야 노구와 의논ᄒᆞ여라 ᄒᆞ니 노구 왈 낭ᄌᆞᄂᆞᆫ 슬푸다 마옵소

서 연전에 이선니와 숙낭ᄌᆞ도 마고할미 중ᄆᆡ하여쓰니 임이 하날리 길연을 ᄆᆡᄌᆞ쓰미라 이ᄌᆡ 이선군과 조낭ᄌᆞ을 칙약할미 중ᄆᆡᄒᆞ여 옥문동ᄋᆡ 길연을 ᄆᆡᄌᆞ면 무슨 허물 이스리요 ᄯᅩ 낭ᄌᆞ야 이선군과 연분 ᄆᆡᄌᆞ 조선으로 나가시면 ᄌᆞ연 부모 소식 들러보리다 밤이 이식도록 담화ᄒᆞ다가 각각 처소로 도라가더라 잇튼날 노구 춘ᄇᆡᆨ의 의관을 갓초오고 이 사연을 ᄌᆞ서이 말ᄒᆞ며 ᄂᆡ당에 드러가 낭ᄌᆞ 압헤 안ᄌᆞ 은봉치 금봉치와 나삼 치복으로 홍상 연셔을 갓초와 예석을 ᄎᆞ리고 힝예ᄒᆞ이 천층옥누ᄋᆡ 선관선여 노난 덧ᄒᆞ더라 그 잇튼날 노구 각ᄉᆡᆼ 음식

P.11

을 드려 서로 머근니 모다 처음 보ᄂᆡᆫ ᄇᆡ라 수일 후ᄋᆡ 무슨 편지을 써서 ᄒᆞᆨ의 달이의 ᄆᆡ더니 그 학이 어ᄃᆡ로 나라가거날 노구 춘ᄇᆡᆨ다러 ᄒᆞ난 말이 선군이 이곳ᄃᆡ서 오ᄅᆡ 거처치 못ᄒᆞ리ᄅᆞ ᄂᆡ일이면 본가로 도라가리ᄅᆞ ᄒᆞ며 수작ᄒᆞ더니 그 학이 도라오ᄆᆡ 엇던 ᄒᆞᆫ인이 교자을 가지고 길을 차리며 노귀 춘ᄇᆡᆨ을 향ᄒᆞ여 왈 ᄂᆡ가 선군을 만ᄂᆡ서 잘 ᄃᆡ접 못ᄒᆞ엿쓰니 마음ᄋᆡ 참괴ᄒᆞ옵고 ᄯᅩ 다시 보기 쉽지 못할노다 선군과 조낭ᄌᆞ야 ᄂᆡ 말을 자서이 들으라 사람이 세상에 나서 천변만학ᄋᆡ 이을 만이 보와도 아지 못ᄒᆞ거던 보지 못ᄒᆞᆫ 일을 엇지 아리요 우선 목전ᄋᆡ 선군과 낭자의 목전ᄋᆡ 이를 보소서 조션 이선군과 중국 조낭자와 옥문동ᄋᆡ서 부부될 줄 뉘가 알며 중국 여남ᄯᅡᆼ 조낭ᄌᆞ가 조선국 이선군을 만ᄂᆡ 조선 ᄉᆞ람될 줄 엇지 아리요 일노 볼진

P.12

된 ᄉᆡ상ᄋᆡ 현의ᄒᆞᆫ 일을 측양치 못ᄒᆞ리라 나ᄂᆞᆫ 옛 말삼을 드르니 남ᄌᆞ 변ᄒᆞ여 여ᄌᆞ 되고 여ᄌᆞ 변ᄒᆞ여 남ᄌᆞ 되ᄂᆞᆫ 일도 잇고 평시가 변하여 ᄂᆞᆫᄉᆡ가 되고 이런 이치가 이스니 슬푸다 낭ᄌᆞ야 우리 서로 만ᄂᆡ 도로 이별ᄒᆞ니 어ᄂᆞᆫ 날 다시 볼고 ᄉᆞ람이 청천부운갓ᄒᆞ니 갈 길리 망연ᄒᆞ와 어이 아리요 가련코 가련ᄒᆞ다 부ᄃᆡ 평ᄋᆞᆫ니나 가소서 ᄒᆞ고 낭ᄌᆞ을 교자에 드려ᄋᆞᆫ치니 그 ᄒᆞ인들리 ᄇᆡ에 실고 춘ᄇᆡᆨ과 선낭이 ᄯᅩᄒᆞᆫ ᄇᆡ예 든니 ᄉᆞ공이 돗ᄃᆡ를 놉피 서우고 제미을 저서 말이ᄒᆡᄉᆞᆼ예 살갓치 가니 ᄒᆞᆫ 고ᄃᆡ 다다라 어화 반갑을ᄉᆞ 삭옥봉이 논압ᄒᆡ 변듯 나서며 우리집 문전 닷처 선두ᄋᆡ 씌여나려 교자을 압서우고 집으로 들려가니 그 부모 경황불각간예 우선 교ᄌᆞ을 압서우고 ᄂᆡ당으로 들려가며 춘ᄇᆡᆨ다려 문왈 네 나가 그 ᄉᆞ이 어ᄃᆡ 갓다오며 네 돌변

P.13

ᄒᆞᆫ 일은 어이 일고 춘ᄇᆡᆨ이 ᄇᆡᄅᆡ 왈 불휼ᄌᆞ 일전에 ᄒᆡ상예 유선ᄒᆞ다가 ᄃᆡ풍이 이려나서 어ᄃᆡ로 가난 줄 모로고 옥문동이라 ᄒᆞᄂᆞᆫ 고ᄌᆡ 가서 부모임을 베옵지 못ᄒᆞ고 돌변ᄒᆞ엿ᄉᆞ오니 죄사무지로소다 ᄒᆞ고 전후ᄉᆞ를 고 왈 옥문동이라 ᄒᆞᄂᆞᆫ 고즐 드려가와 서로 만ᄂᆡᆫ 말리며 구중ᄑᆡ궐ᄋᆡ 가서 치약할미 만ᄂᆡᆫ 마리며 치약할미가 천ᄉᆞᆼ선관의 ᄒᆞ던 말이며 ᄆᆡ자되여 조낭ᄌᆞ의계 중ᄆᆡᄒᆞ던 말리며 천ᄉᆞᆼ 선관선여 정ᄒᆞᆫ 연분을 어긔지 못ᄒᆞ야 성예ᄒᆞᆫ 말리며 ᄯᅩ 청학의 발ᄋᆡ 편지 ᄆᆡ야 어ᄃᆡ로 보ᄂᆡ더니 즘관 ᄉᆞ이ᄋᆡ ᄉᆞ람이

교ᄌᆞ을 가지고 와 집으로 인도ᄒᆞ던 말리며 낫낫치 고ᄒᆞ니 그 부모 경황ᄒᆞ여 왈 너의 ᄇᆡ필리 말이 밧계 이스니 인력으로 만ᄂᆡ지 못할지라 너 어이 표풍ᄒᆞ지 안니ᄒᆞ며 그 낭ᄌᆞ 엇지 표풍

P.14

ᄒᆞ지 아니ᄒᆞ리요 쏘 옥문동에 만ᄂᆡ기도 ᄒᆞ나리 지시ᄒᆞ미오 ᄎᆡ약할미 맛ᄂᆡ기도 ᄒᆞ나리 지시ᄒᆞ미라 엇지 이상치 안니ᄒᆞ리요 ᄂᆡ당으로 드려가 연ᄎᆞ을 ᄇᆡ설ᄒᆞ고 시비 설낭이 예ᄇᆡ을 갓초와 조부인을 인도ᄒᆞ여 구고지예을 ᄇᆡ푸르니 그 구고 청숙ᄒᆞᆫ ᄌᆞ식을 보고 층찬 안이 ᄒᆞ리 업쓰며 못ᄂᆡ못ᄂᆡ 질긔며 귀경ᄒᆞ난 ᄉᆞ람들리 모다 처음 보난 이리라 ᄒᆞ며 처음 듯난 일리라 ᄒᆞ더라 그 시부모와 가ᄌᆞᆼ이 천금갓치 ᄉᆞ랑ᄒᆞ시나 조부인니 ᄆᆡ양 고국을 향ᄒᆞ야 부모을 ᄉᆡᆼ각ᄒᆞ고 비회로 지ᄂᆡ더라 일일은 금강산 천불암여 여승이 권선을 가지고 시주을 청ᄒᆞ거날 조부인니 그 여승의계 문 왈 시주ᄒᆞ오면 우리 가군의 전정의 잘되계 ᄒᆞ오릿가 여승이 왈 우리 실영ᄒᆞ신 분처임이 인간 명복을 만니 점지ᄒᆞ시니 소승이 지성으로 발원ᄒᆞ오리다

P.15

조부인이 녹ᄌᆞ 권선을 페고 천 양을 시주ᄒᆞ니 여승이 조부인의 ᄉᆡᆼ을 저거 가지고 나와 주역 팔괘을 손금에 올여 지되지주을 가리다가 차탄 왈 니 수를 보니 극히 험ᄒᆞ도다 부인은 천ᄉᆡᆼ죄악으로 이ᄉᆡᆼ예 와서 고국을 이별할 수오 공ᄌᆞ도 이ᄉᆡᆼ 운익으로

타국예 고상홀 수라 두리 다 미구예 죽을 익이 이슬 거시니 만일 이 익을 지닉면 부귀공명은 천하의 제일 될지라 달니 제익홀 수가 업스니 도라가 분체임기 축수발원ᄒᆞ오리다 조부인이 그 말 듯고 ᄎᆞ경ᄎᆞ탄 왈 닉사난 엇지 그다지 아난고 닉 과연 타국 ᄉᆞ람이라 날갓흔 인명이야 주거도 설지 아니ᄒᆞ나 가군니나 명복을 지셩으로 비러주소 빅 번니나 부탁ᄒᆞ니 그 여승이 딕답ᄒᆞ고 도라가더라 그 후 일 연을 지닌 후 국가의 경ᄉᆞ 이서 틱평과거

P.16

보이거늘 춘빅이 힝장을 차려 경셩에 올나가 과일을 당ᄒᆞ여 시지을 픽여 노고 단산시석 용인베리에 은금전자 멱을 가라 호황모 무심필노 일필휘지ᄒᆞ여 일천에 선장ᄒᆞ야 안탐예 제명ᄒᆞ고 홍능 츰봉ᄒᆞ야 천은을 축수ᄒᆞ고 집으로 도라오니 만장광치 찰난ᄒᆞ더라 보난 ᄉᆞ람이 뉘 안니 층찬ᄒᆞ리오 또 성상이 층찬ᄒᆞ사 황히감사를 ᄌᆡ수ᄒᆞ시니 고향에 도라와 영분ᄒᆞ고 길을 치힝홀ᄉᆡ 춘빅이 왈 히주길리 극히 혐ᄒᆞ고 초원ᄒᆞ오니 부모임 모셔가기난 는처ᄒᆞ옵고 또 가닉ᄉᆞ을 조처ᄒᆞ기 무인ᄒᆞ오니 다힝이 다른 ᄃᆡ로 선즉이빈홀 ᄃᆡ 모시고 가오리다 복원 부

P.17

모임은 옥처을 보중ᄒᆞ와 계옵시면 히주 월봉지녹을 다 바다 봉ᄒᆞ오리다 수히 도라오리다 ᄒᆞ고 ᄯᅥ나 히주로 가니 원닉 히주

라 ᄒᆞᄂᆞᆫ 고진 동국지계라 ᄉᆞᆫ천이 험악ᄒᆞ고 민심이 효박ᄒᆞ니 도임ᄒᆞᄂᆞᆫ 후 신역을 덜어 풍속을 화순케 ᄒᆞ고 인정을 ᄇᆡ푼니 일도지ᄂᆡ 창ᄉᆡᆼ드리 모다 어즌 사토라 송성이 진동ᄒᆞ더라 ᄒᆡ주 도적이 ᄌᆞ조 노략할ᄉᆡ 본ᄃᆡᆨ에 봉물을 보ᄂᆡ다가 모다 중간에 탈취되니 감ᄉᆞ 아모리 염탐ᄒᆞ나 ᄌᆞᆸ지 못ᄒᆞ더라 세월여류ᄒᆞ여 과만이 차ᄆᆡ 도로 이ᄇᆡ되여 ᄒᆡᆼᄎᆞ를 ᄌᆡ촉ᄒᆞ와 등선ᄒᆞ여 오다가 ᄒᆡ적을 만ᄂᆡ여 간지튼 거슬 다 탈취되고 ᄯᅩᄒᆞᆫ ᄇᆡ을 ᄭᆡ치니 불ᄉᆞᆼ ᄒᆞᆫ 인명

P.18

이 다 중난지라 공이 경황실ᄉᆡᆨᄒᆞ와 살ᄑᆡ보니 부인과 선낭이 간 곳 업고 ᄇᆡ힝ᄒᆞᆫ ᄒᆞ인도 ᄒᆞ나 업ᄂᆞᆫ지라 ᄭᆡ여진 ᄇᆡ줄도 ᄭᅳᆫ어지고 돗ᄃᆡ도 부려저 만경ᄎᆞᆼ파ᄋᆡ 지향 업시 ᄯᅥ나간니 이공이 살 길 업서 방성통곡ᄒᆞ며 왈 조부인아 사랏난가 죽거난가 이춘ᄇᆡᆨ이 속절업시 고기바비 되리라 ᄒᆞ며 ᄭᆡ여진 ᄇᆡ족을 두 손으로 트러잡고 정신업시 업더젓더니 어ᄃᆡ서 외난 솔ᄅᆡ 나걸날 자서이 살펴보니 일원 노승이 구름을 타고 불너 왈 춘ᄇᆡᆨ아 정신을 진정ᄒᆞ여라 만경ᄎᆞᆼ파ᄋᆡ 너 ᄒᆞ나 죽어지면 그 뉘 알고 ᄒᆞ며 오거날 공이 정신을 ᄎᆞ려 이러나 보니 아모 것도 업고 서천ᄋᆡ ᄒᆡ가 지고 동정에 달리 ᄯᅳ고 광풍은 ᄌᆞᆷ을 ᄌᆞ고 순풍이 이려나며 ᄇᆡᄶᅩ각이 안존ᄒᆞ거날 홀연 서천으로 불빗치 빗추며 ᄇᆡ쪽긔 뭇ᄐᆡ 다이거날

P.19

업드려 긔여 나가 정신을 찰여 살펴보니 암ᄉᆞᆼᄋᆡ 수간초옥이 잇ᄂᆞᆫᄃᆡ 그 즁에 ᄇᆡᆨ발노인니 안ᄌᆞ거날 젼지도지 들어가 ᄌᆡᄇᆡ을 ᄒᆞ고 노인은 뉘시잇가 화변을 당ᄒᆞᆫ 사람을 구제ᄒᆞ옵소셔 ᄒᆞ니 그 노인이 왈 나ᄂᆞᆫ 변희희변ᄋᆡ 고기 즘ᄂᆞᆫ 어룡이라 ᄒᆞ며 음식을 쥬니 명ᄉᆡᆨ도 모로고 긔가을 면할너라 츈ᄇᆡᆨ이 정신을 ᄎᆞ려 왈 천만가지로 죽을 인명이 어된 줄 모로나이다 노인 왈 이 고지 과연 중국ᄯᅡ이라 ᄂᆡ의 명호난 아라 쓸 고지 업고 하로밤 쉬고가물 엇지 은혜라 ᄒᆞ리오 공중으로 포연니 소사올나 가거날 츈ᄇᆡᆨ이 이러나 ᄌᆞ새이 보니 완연ᄒᆞᆫ 노인이 가ᄉᆞ ᄎᆡ복에 육환ᄌᆞᆼ을 집고 가거날 다시 살펴보니 수간초옥 간 ᄃᆡ 업고 암상에 송정도 업거날 마음ᄋᆡ 놀나와 곰곰 ᄉᆡᆼ각ᄒᆞ니 아ᄆᆡ도 천불암 분체임이 나을 인

P.20

도ᄒᆞ여 살여도다 ᄒᆞ고 다시곰 ᄉᆡᆼ각ᄒᆞ되 이 곳지 과연 중국ᄯᅡ이면 고향 도라가기 망연ᄒᆞᆫ지라 ᄎᆞ라리 이 질노 들어가 여남 소주 조상셔집을 ᄎᆞᄌᆞ 옹서간 된 ᄉᆞ연니나 말ᄒᆞ고 조부인계 긔별이나 젼ᄒᆞ리라 ᄒᆞ고 암ᄌᆞᆼ 소로로 근근 도보ᄒᆞ와 명ᄉᆞᆫ절승처도 혹 구경ᄒᆞ고 ᄉᆞᄃᆡ부 ᄉᆞ환가도 ᄎᆞᄌᆞ 혹 글도 짓고 글시도 써주며 은금보화도 주ᄂᆞᆫ ᄌᆡ 만ᄒᆞ되 조부인과 설낭을 ᄉᆡᆼ각ᄒᆞ면 가삼이 막막ᄒᆞ고 정신이 울울ᄒᆞ여 ᄉᆡ상만사가 귀ᄒᆞᆫ 거시 이업더라 일일은 여남 소주 ᄯᅡ을 들어가 조성새 ᄯᆡᆨ을 ᄎᆞ즈니 요조

ᄒᆞᆫ 동학ᄋᆡ 고루화각이 희황ᄒᆞᆫᄃᆡ ᄉᆞ면을 둘너보니 쳔만ᄌᆞᆼ 봉황산은 주릉이 되여 잇고 양유청청 ᄇᆡᆨ화강은 안ᄃᆡ 되여ᄂᆞᆫᄃᆡ 동편ᄋᆡᄂᆞᆫ 화원이오 서편예ᄂᆞᆫ 죽

P.21

님니라 중문에 드러가 통ᄌᆞ을 청ᄒᆞ니 조ᄉᆞᆼ서 방야흐로 설월누 올나 춘경을 구경ᄒᆞ다가 연접ᄒᆞ거날 이공이 두 변 졀ᄒᆞ고 문왈 이 ᄃᆡᆨ니 조상셔 ᄃᆡ기온니가 ᄃᆡ 왈 과연 그러ᄒᆞ오나 존빈은 뉘라 ᄒᆞ시며 어ᄃᆡ 계시잇가 이공이 답 왈 나ᄂᆞᆫ 조선국 강능ᄶᆞ ᄉᆞ람이옵고 성명은 이춘ᄇᆡᆨ이라 ᄒᆞᄂᆞᆫ이다 상서 왈 조선국 ᄉᆞ읍시면 무숨 소관으로 ᄂᆡ 집을 무르시며 무삼 일노 중국 와 계신잇가 이공 왈 운수불힝ᄒᆞ와 고국을 써나 유리포박ᄒᆞ와 중국예 들어와 상서ᄃᆡ 조호을 놉피 듯고 ᄎᆞᄌᆞ 왓나이다 상서 왈 ᄂᆡ 집 선성이 무어시 노파 타국 존빈이 ᄎᆞᄌᆞ 올리잇가 양국 고담을 피ᄎᆞ간 수작ᄒᆞ면 이공이 외면은 쳔연ᄒᆞ나 중심은 조부인을 ᄉᆡᆼ가ᄒᆞ야 조부인 말을 통ᄒᆞ고저 ᄒᆞ되 신적이 엽

P.22

스니 말ᄒᆞᆫ들 어이 아리요 ᄯᅩ 초면 빈주지의에 상서의 마음 엇더할 줄 모로고 말할 수 업서 천연이 상서ᄶᅧ려 문ᄂᆞᆫ 말리 타국천ᄉᆡᆼ이 존귀ᄒᆞ신 샹서 ᄃᆡᆨ의 와 여려 날 유ᄒᆞ오니 빈주지의가 ᄌᆞ별ᄒᆞᆫ지라 무슨 말을 못ᄒᆞ오릿가 감히 뭇ᄌᆞᆸᄂᆞᆫ이 상서게옵서 형지ᄂᆞᆫ 몃치시며 ᄌᆞ제ᄂᆞᆫ 및 남ᄆᆡ잇가 상서 왈 나난 본ᄃᆡ 오형제로 ᄂᆡ

혼자 사랏ᄉᆞ옵고 ᄌᆞ식은 ᄉᆞᆷ남ᄆᆡ로 이ᄌᆞᄂᆞᆫ 성취ᄒᆞ고 여아난 별
서 죽고 업니이다 ᄒᆞ고 면상ᄋᆡ 불평ᄒᆞᆫ 긔ᄉᆡᆨ이거ᄂᆞᆯ 이공이 그
말을 듯고 감히 설화치 못ᄒᆞ고 다만 마음만 비ᄎᆞᆼᄒᆞ야 스사로
설월누예 올나 물ᄉᆡᆨ을 귀경ᄒᆞᆯᄉᆡ 비회 ᄌᆞ별ᄒᆞ야 ᄒᆞᆫ심이 절노
나고 절노 노ᄅᆡ도야 ᄒᆞᆫ 곡조 불르니 무정ᄒᆞ다 저 화류야 춘ᄉᆡᆨ이
여전ᄒᆞ니 화전노롬ᄒᆞᆷ 직ᄒᆞ다마ᄂᆞᆫ 뉠노 좃차 노다 말고 무정하
다 저

P.23

화유야 북ᄒᆡ로 통ᄒᆞ던가 일렵편주 위ᄐᆡᄒᆞ다 노ᄅᆡ을 긋치고 여
광여취지심을 이긔지 못ᄒᆞ야 단니며 ᄇᆡ회ᄒᆞ니 ᄉᆞᆼ서ᄂᆞᆫ 모로고
심상이 듯더라 이공이 할 길 업서 삼삭을 유ᄒᆞ다가 ᄶᅥ날ᄉᆡ 주긱
지의예 피ᄎᆞ 연연ᄒᆞ미 그지 업더라 이공이 상서 ᄃᆡᆨ을 ᄶᅥ나 ᄉᆞ방
으로 주류ᄒᆞ다가 여남 ᄌᆞᄀᆡ봉이 명승지지라 ᄒᆞᄂᆞᆫ 말을 듯고
ᄌᆞᄀᆡ산을 ᄎᆞᄌᆞ 들어가니 십니 동학 층암절벽 우예 석문니 충충
ᄒᆞ고 긔화요초난 좌우ᄋᆡ 만발ᄒᆞᆫᄃᆡ 그 ᄉᆞ이로 귀경ᄒᆞ며 들어가
니 이 엇더ᄒᆞᆫ 노인니 갈건 도복으로 ᄇᆡᆨ우선을 들고 암ᄉᆞᆼ에 놉피
안ᄌᆞ 노ᄅᆡ을 부르거날 ᄌᆞ서이 들으니 그 놀ᄋᆡ예 ᄒᆞ엿스되 말이
탁국 저 소연아 너의 힝ᄉᆡᆨ이 고이ᄒᆞ다 삭옥봉 강능출월 옥통소
난 어ᄃᆡ 두고 ᄉᆞ부의 ᄌᆞ제로서 공명도 ᄒᆞᆯ여니와 ᄒᆡ주로 도라올
ᄌᆡ 부인은

P.24

엇지 ᄒᆞ엿나야 옥문동 연분을 그다지 이젓나냐 봉화ᄉᆞᆫ ᄇᆡᆨ마강
예 무ᄉᆞᆷ 일노 갓다온오 노ᄅᆡ을 긋치고 표연이 가거날 이공이
급히 그 뒤을 ᄯᅡ라가니 수간모옥이 정쇄ᄒᆞᆫ 가온ᄃᆡ 그 노인이
갈석을 짤고 안ᄌᆞ거날 이공이 들어가 ᄌᆡᄇᆡᄒᆞ고 인슬단좌 왈
이갓치 집흔 산ᄋᆡ 노인을 만ᄂᆡ오니 반갑ᄉᆞ외다 아지 못거라
존호랄 뉘라 ᄒᆞ시나니잇가 노인 왈 ᄌᆞᆷ시 지ᄂᆡ난 속ᄀᆡᆨ이 무어시
반갑ᄒᆞ며 촌면으로 잠관 만ᄂᆡ 명호 아라 무엇ᄒᆞ리요 이공이
왈 ᄒᆞ방 천ᄉᆡᆼ이 노인전 강문니 ᄐᆡ심ᄒᆞ오니 황공ᄒᆞ오나 악가
그 노ᄅᆡᄂᆞᆫ 무삼 곡조닛가 노인 왈 그 노ᄅᆡ 너 일과 갓ᄒᆞᆫ니이라
물어 무엇ᄒᆞ러 그려나 그ᄃᆡ 신세 극히 불상ᄒᆞ다 ᄂᆡ기 ᄌᆞᆷ관 유ᄒᆞ
여라 ᄒᆞ거날 이공이 더옥 다힝이 여겨 노인으로 더부려 날마다
소일ᄒᆞ더니 노인니 무슨 ᄎᆡᆨ을 ᄂᆡ여주

P.25

며 왈 남아 세상ᄋᆡ 나서 글을 ᄇᆡ호라 그ᄃᆡ 이 글을 숙독ᄒᆞ면
ᄉᆞ람의 전정을 알거시오 혹 쓸 ᄃᆡ 이스리라 ᄒᆞ거날 이공이 바다
보니 천문지리와 육도삼약이라 손오의 병법이오 황석공의 비게
라 그 노인이 칼을 주며 왈 검무와 검가ᄂᆞᆫ 장부의 할 거시라
그ᄃᆡ 이곳ᄃᆡ 이서 아못 것도 할 거시 업스니 이 거시나 공부ᄒᆞ여
라 ᄒᆞ거날 이공이 바다보니 그 칼에 싹여스되 ᄃᆡᄌᆞᆼ부 보신물이
라 ᄒᆞ고 풍운조화용문검이라 ᄒᆞ여ᄯᅥ라 나지면 ᄎᆡᆨ을 이르고 밤
이면 검술을 ᄇᆡ와 세월을 보ᄂᆡ더라 각설 이적에 조부인니 도적

의 환익을 당ᄒᆞ여 경황불각간의 정신을 게우 ᄎᆞ려 살픠보니 이공은 간 ᄃᆡ 업고 다만 설낭과 두리 안ᄌᆞᆫ난지라 도적의 ᄇᆡ예 들엇쓰니 도적이 ᄇᆡ을 모라 ᄒᆞᆫ 섬쑥의 다히고 집으로 들어가며 여러 경집으로 부인과 설낭을 억지로 ᄭᅳ어

P.26

들리니 두 여인니 강약이 부동ᄒᆞ야 속절 업시 그이여 ᄒᆞᆫ방의 드리가니 여러 겨집들리 둘너 안자 만 가지로 달ᄂᆡ난 말리 부인은 좀간 ᄎᆞᆷ아 선정ᄒᆞ시오 부인의 가군은 임이 죽어쓰니 ᄉᆡᆼ각 말고 도라갈 수 업서 쓸 ᄃᆡ 업쓰니 ᄎᆞ라리 이 곳ᄃᆡ 이서면 우리 드리 부인을 위로ᄒᆞ여 헌헌ᄒᆞᆫ ᄌᆞᆼ부를 가리여 줄 거시니 좀말 말고 우리 말을 들으라 ᄒᆞ거날 부인이 분을 이기지 못ᄒᆞ야 왈 너히만ᄒᆞᆫ 연들리 양반 압픠 그러ᄒᆞᆫ 욕설을 하난다 가히 너 갓탄 연들은 죽여 용납 못ᄒᆞ기 할 거신라 ᄒᆞᆫᄃᆡ 그 겨집들리 서로 도라보와 왈 부인은 ᄊᆞᆫ 말 마소 이 곳제도 잘난 ᄌᆞᆼ부 만코 조ᄒᆞᆫ 의복도 잇고 보화지물도 만니 이스니 이 곳 ᄉᆞ람 도여스면 무슨 근심 이스리요 이ᄌᆡ 부인 신ᄉᆡ을 도라보소 농의 든 ᄉᆡ요 그물의 걸인 고기라 ᄇᆡᆨ 변

P.27

ᄒᆞ여도 모ᄎᆡᆨ 업슬 거시니 승천할가 입지할가 월강도히할가 잠말 말고 순종하소 부인니 더옥 분니ᄐᆡᆼ천ᄒᆞ여 닷시곰 ᄉᆡᆼ각ᄒᆞ되 죽어 의논헐 수 업난지라 소ᄅᆡ을 놉피 길너 ᄭᅮ지저 왈 천지

삼강이 불변ᄒᆞ거든 ᄂᆡ의 마음 뉘 능히 구피리요 ᄒᆞ고 방중의 노인 쐬화로을 둘여치니 그 겨집드리 ᄯᅱ여나가면서 여장군을 부르거날 여장군이라 ᄒᆞ난 놈은 본ᄃᆡ 장ᄉᆞ라 문밧긔 와서 우스며 왈 부인의 마음의 혹 저러키 말하기 여ᄉᆞ라 너므 상키 말나 ᄂᆡ 잇다가 드려가리라 ᄒᆞ고 문을 잠무거날 부인이 설낭을 트러잡고 울며 왈 망극ᄒᆞ다 울이 팔ᄌᆞ여 일은 공경을 그 뉘라서 아리요 분ᄒᆞ고 분ᄒᆞ도다 궁천지 흉학ᄒᆞᆫ 욕설을 ᄂᆡ 귀로 듯고 ᄉᆞ라서 무엇ᄒᆞᆯ고 ᄒᆞ물며 우리 이공은 임이 쥭어

P.28

시니 날도 쥭어 ᄒᆞᆫ가지로 혼이 되어 ᄯᆞᆯ으리라 ᄯᅩᄒᆞᆫ 발등의 불이 급ᄒᆞ여시니 엇지 오ᄅᆡ 거처ᄒᆞ리요 집수건으로 목을 자을니 ᄯᅩ 설낭이 붓들고 ᄒᆞᆫ가지로 쥭사이다 ᄒᆞ고 ᄒᆞᆫ가지로 목을 밀 ᄌᆡ 홀연 잠긴 문이 절노 소ᄅᆡ 업시 열이며 난ᄃᆡ엄난 여승이 흔적 업시 드려와 ᄆᆡᆫ 수건을 그르고 손을 잇그러 밧긔로 인도ᄒᆞ야 나가 길림ᄌᆞ갓치 지ᄂᆡ가ᄆᆡ 귀신인들 엇지 알이요 경각 간의 물가의 닷처여 ᄇᆡ여 올인이 그 여승이 ᄌᆡ미을 저여 나는닷시 가다가 저근덧 ᄒᆞ여 뭇틔 나서니 부인이 이러난이 귀신으긔 홀님갓치 정신 업시 나와 안ᄌᆞ다가 여승 압픠 업더저 왈 선ᄉᆞ난 진실노 활인지불이라 어난 저의 기신잇가 은덕을 ᄉᆡᆼ각허면 ᄇᆡᆨ골이 진토 되여도 잇기 어렵도다 ᄒᆞ고 치바다보니 여승이 ᄇᆡᆨ팔 염주을 손의 쥐고 공즁

P.29

으로 거려가면서 ᄒᆞᄂᆞᆫ 말이 누만금 시른 ᄇᆡ 이럿다 ᄒᆞᆫ탄 말나 너 목숨 ᄉᆞ라나기도 천ᄒᆡᆼ이라 ᄂᆡ 몸의 음ᄋᆡᆨ이 아즉도 머러ᄯᅩ다 ᄒᆞ고 간 고지 업거늘 부인이 그 말을 듯고 놀ᄂᆡ ᄉᆡᆼ각ᄒᆞᆫ즉 아마도 천불암 부ᄎᆡ임이 우리을 살여ᄯᅩ다 ᄒᆞ고 아즉도 음ᄋᆡᆨ이 잇다 ᄒᆞ니 어이 할고 ᄎᆞ라리 이 바다의 ᄲᅡ저 쥭어 청ᄇᆡᆨᄒᆞᆫ 혼니 되여 울리 이공의 혼ᄇᆡᆨ을 ᄯᆞᆯ라 고향으로 가리라 ᄒᆞ고 설낭으로 더부려 처량이 울며 회천가의 두루두루 바장이다가 닷시 곰곰 ᄉᆡᆼ각 ᄒᆞ니 이공은 이미 쥭어시나 복즁ᄋᆡ 든 자ᄉᆞᆨ이 이시니 ᄆᆞᆷ을 보존 ᄒᆞ여ᄶᅡ가 천ᄒᆡᆼ으로 남ᄌᆞ을 나흐면 남의 후ᄉᆞ을 일우리라 ᄒᆞ고 광능ᄉᆞᆫ천을 바ᄅᆡ보고 가더니 ᄒᆞᆫ 고ᄃᆡ 다다라 긔을 일어 무인지 경으로 드러가니 만첩청산은 좌우ᄋᆡ 둘여잇고 긔화요초ᄂᆞᆫ

P.30

동학에 시수ᄒᆞ고 수ᄇᆡᆨ 장 석간에 폭포수ᄂᆞᆫ 써러지고 창창낙일 에 ᄉᆡ 짐ᄉᆡᆼ 우ᄂᆞᆫ 소ᄅᆡ ᄉᆞ름의 회포를 돕ᄂᆞᆫ지라 아모 ᄃᆡ로 갈 줄을 몰나 두로 바장이더니 석간 폭포 우에 나무입피 써오거날 그 입플 주어보니 글 두워 귀 써시되 선학이 보송ᄒᆞ ᄒᆞ니 ᄎᆡ란이 을리라 ᄒᆞ여더라 글 ᄯᅳᆺ즌 신선에 학이 소나무 알에 가셔 ᄎᆡ란이 밧게밧게 조은다 ᄒᆞ여더라 ᄉᆡᆨ상에 고히ᄒᆞᆫ 일이로다 ᄎᆡ란은 ᄂᆡ 의 일홈이라 뉘가 ᄂᆡ의 일홈을 알고 이 글을 지엇ᄂᆞᆫ고 만가지로 의심ᄒᆞ고 회게 선경으로 올나가니 엇더ᄒᆞᆫ 노인이 송당에 홀노 안자 먼 산을 바ᄅᆡ보고 노ᄅᆡᄒᆞ거널 자서히 드르니 그 소ᄅᆡ예

ᄒᆞ여시되 화외의 오난 사ᄅᆞᆷ 힝ᄉᆡᆨ도 비창ᄒᆞ다 여ᄌᆞ 몸이 되여
저거러미 무ᄉᆞᆷ 일고 ᄇᆡᆨ

P.31

마강 화젼노림 여ᄌᆞ 힝ᄉᆡᆨ도 그러ᄒᆞᆫ가 옥문동 지ᄂᆡᆫ 일은 부모가
식이던가 부모를 이별ᄒᆞ고 타국에 와셔 실픈 ᄉᆡᆼ각ᄒᆞ면 불호를
면ᄒᆞᆯ손야 ᄒᆡ주를 도라올 ᄌᆡ 이공은 어ᄃᆡ 갈고 적굴의 살아나문
시주공덕 안릴손가 실푸다 죠ᄎᆡ란아 ᄂᆡ 혼자 도라가서 시부모
뵈울 적의 ᄒᆞ면목 ᄒᆞ면목고 차라예 ᄂᆡ 입산ᄒᆞ야 몸을 감초와라
문신 ᄋᆡᆨ이 압ᄑᆡ 잇다 이 질노 드러 ᄇᆡᆨ학산을 가면 ᄌᆞ연 구할
사람 이실이라 부인니 그 노ᄅᆡ을 듯고 ᄎᆞ경ᄎᆞ괴ᄒᆞ여 실픈 마음
을 이기지 못하와 눈물만 흘니고 처량이 우다가 다시 곰곰 ᄉᆡᆼ각
ᄒᆞ니 그 노ᄅᆡ 곡조 올토다 ᄂᆡ 무ᄉᆞᆷ 면목으로 혼자 도라가리요
ᄯᅩ 험악ᄒᆞᆫ 일이 압길의 잇다ᄒᆞ니 놀ᄂᆡᆫ 간ᄌᆞᆼ이 ᄯᅩ 놀ᄂᆡᆯ가 ᄒᆞ

P.32

노라 이 산이 과연 ᄇᆡᆨ학산이면 분명 구할 ᄉᆞ람이 이실다 ᄒᆞ니
차자 가리라 ᄒᆞ고 점점 드어간니 청ᄉᆞᆫ은 울울ᄒᆞ고 수목은 참천
ᄒᆞᆫᄃᆡ 시ᄂᆡ물은 잔잔 흘너가고 ᄉᆡ소ᄅᆡ 실피 울어 희심헌 신ᄉᆡ
둘 ᄃᆡ 업ᄂᆞᆫ지라 창벽 사이로 드러간니 한 암ᄌᆞ이시되 현판의
ᄇᆡᆨ운암이라 서서 부처거늘 드러가 드르니 즁은 업고 다만 여승
하나니 나와 연접 ᄇᆡᄅᆡ 왈 존귀ᄒᆞ신 부인이 니갓탄 누지의 욕임
ᄒᆞ시닛가 노승이 ᄉᆞᆫ문의 나가 맛지 못ᄒᆞ오니 죄송ᄒᆞ외다 부인

왈 날갓튼 ᄉᆞ람을 ᄃᆡᄒᆞ여 일이헌 말슴을 ᄒᆞ신잇가 ᄉᆞ문ᄋᆡ 드러
가니 층층수희 비홀 ᄃᆡ 엄난지라 이러그려 수일을 평이 쉰이
불힝즁힝이라 부ᄎᆡ계 축원ᄇᆡᄅᆡᄒᆞ고 안지니 여승 왈 엇던 노인
이 저 창벽으로 지ᄂᆡ가며 ᄒᆞ난 말이 부인이

P.33

동구의 드러온다 ᄒᆞ더니다 부인 왈 그 노인은 뉘신잇가 승 왈
부인은 어ᄃᆡ 기시며 무삼 일노 얼골이 저다지 초최ᄒᆞ신잇가
부인 왈 나난 강능 이감ᄉᆞ틱 실ᄂᆡ로서 ᄒᆡ쥬의 가여싸가 집으로
오난 지ᄅᆡ ᄒᆡ즁 도적을 만나 가군을 일코 ᄂᆡ의 완명은 ᄉᆞ라갈
바을 모로와 지형 업시 가다가 이 곳으로 드려 완ᄂᆞᆫ이다 여승
왈 불상ᄒᆞ다 부인의 신ᄉᆡ 저러ᄏᆡ 되여시니 고향으로 가고저ᄒᆞᆫ
들 엇지 가리요 ᄎᆞ라이 이 곳ᄃᆡ 나와 잇서 한 가지 ᄉᆡ월을 보ᄂᆡ
고 삭발ᄒᆞ여 즁이 되야시면 실영하신 불전의 소원ᄃᆡ로 발원ᄒᆞ
ᄉᆞ이다 부인이 올히 너겨 삭발할 일을 ᄉᆡᆼ각ᄒᆞᆫ즉 마음이 아득ᄒᆞ
여 설낭의 손을 잡고 묵묵히 서로 보와 의읏키 ᄉᆡᆼ각ᄒᆞ가 눈물을
힐이며 마지못ᄒᆞ야 허락ᄒᆞ니 여승이 삭도

P.34

을 가지고 압ᄑᆡ 나소와 안ᄌᆞ 두ᄅᆡ 며리을 짝근이 부인과 설낭의
ᄎᆡ량ᄒᆞᆫ 우름소ᄅᆡ의 시ᄂᆡ물이 목이 미는 덧 청산이 암암ᄒᆞᆫ 덧
일월이 무광ᄒᆞ더라 그 승이 이윽키 보다가 위로 왈 ᄉᆞ람의 팔ᄌᆞ
을 소기지 못ᄒᆞᆫ니 니미 이갓치 되야시면 너무 실허마옵소서

분치임기 드려가 지성으로 발원ᄒᆞ오면 고진감ᄂᆡ는 천지간상ᄉᆡ 라 그 여승 성명은 운수당이요 부인의 승명은 난허당이라 ᄒᆞ야 운수당의 상ᄌᆡ 되고 설낭의 승명은 설월당이라 ᄒᆞ야 난허당의 상ᄌᆡ 삼아 각각 승복을 찰러입고 ᄇᆡᆨ팔염주을 목ᄋᆡ 걸고 가사 ᄎᆡᆨ복ᄒᆞ고 불전ᄋᆡ 드어가 삼시로 발원ᄒᆞ더라 일일은 난허당이 홀연 마음이 살난ᄒᆞ여 실푸물 이기지 못ᄒᆞ야 설뤌당 운수당으 로 더우러 자ᄒᆞᄃᆡ의 을나 원근 산천

P.35

을 바ᄅᆡ보고 회옴 업시 ᄇᆡ회ᄒᆞ더니 ᄒᆞᆫ 노인이 홍운을 타고 지ᄂᆡ 다가 일봉서을 주며 왈 ᄇᆡᆨ학ᄉᆞᆫ ᄇᆡ운암ᄆᆡ 조부인을 주라 ᄒᆞ고 가거늘 난허당이 ᄌᆞ서이 보니 그전 인도ᄒᆞ던 노인이라 마음의 괴상이 너겨 그 시의 믓도 못ᄒᆞ고 봉서을 ᄶᅦ여보니 서두ᄋᆡ ᄒᆞ여 스되 강능 이춘ᄇᆡᆨ이 설월누의서 지은 노ᄅᆡ라 곡조어을 닷시 본 후의 경황실ᄉᆡᆨᄒᆞ여 왈 노ᄅᆡ난 우리 이공으 노ᄅᆡ로다 서ᄒᆡ 용부의서 주더라 ᄒᆞᆫ니 물의 ᄲᅡ저 쥭어단 말은 올흐나 설월누난 우리 집 친정 누이라 아지 못커라 서ᄒᆡ 용부의도 설월누가 잇난 가 서ᄒᆡ예 ᄲᅡ저 쥭은 사람이 여남 설월누ᄋᆡ 가기 만무ᄒᆞᆫ 일니라 ᄒᆞ고 이공을 ᄉᆡᆼᄀᆡᆨᄒᆞᆫ 덧 누물니 비온 덧 일촌간장 마ᄃᆡ마ᄃᆡ 눌난 덧 ᄒᆞ더라 운수

P.36

당과 설월당도 갓치 비ᄎᆞᆼᄒᆞ여 붓들고 서로 위로ᄒᆞ더라 난허당

이 연니 한심짓고 노릭ᄒᆞ니 그 노릭예 ᄒᆞ여시되 실푸다 이공의 영혼이 영금도 잇난가 설월누 노릭 곡조 천만몽믹로다 빅운암을 엇지 알고 다정ᄒᆞᆫ 노릭을 이고지로 보닉난고 지닉가던 그 노인은 선관인가 도살넌가 이닉 심회 살난커던 이닉 노릭도 전ᄒᆞ여주소 노릭을 다ᄒᆞᆫ 후의 눈물을 ᄉᆡ이고 도라와서 불전의 분향ᄒᆞ고 빅비발원ᄒᆞ더라 그렁저렁 수 삼 ᄉᆡᆨ을 지닉이 복즁의 깃친 혈육 십 ᄉᆡᆨ이 이믹 차서 혼미 즁의 히복ᄒᆞ니 활달ᄒᆞᆫ 기남ᄌᆡ라 강보의 ᄉᆞ여시나 완연한 이공일러라 일홈을 빅학ᄉᆞᆫ 빅운암을 응ᄒᆞ야 운ᄒᆞᆨ이라 ᄒᆞ고 마음이 더욱 실허ᄒᆞ야 눈물노 시월을 보닉더라 승당의 기루기 미안ᄒᆞ야 운수당이 왈 산당은 속가

P.37

와 다른지라 ᄋᆡ기을 여서 길울 수 업ᄉᆞ오니 아모리 ᄉᆞ정이 절박ᄒᆞ나 동구 밧게 서역국이라 ᄒᆞ난 사람이 ᄆᆡ양 무자슥ᄒᆞ야 ᄒᆞᆫ탄ᄒᆞ더이 그 사람의게 수양ᄌᆞ을 주면 조흘덧 ᄒᆞ나니다 난혀당이 ᄒᆞᆫ심짓고 이윽키 ᄉᆡᆼ각ᄒᆞ다가 마지 못ᄒᆞ야 허락ᄒᆞ고 서역국을 불너 신신니 부탁ᄒᆞ고 ᄋᆡ기을 주니 역국도 ᄯᅩ한 조와ᄒᆞ야 달여다가 기출갓치 ᄋᆡ지즁지 기루더니 운학의 나히 삼 ᄉᆡᆨ의 얼골이 형산빅옥갓더라 보난 사람이 뉘 안니 귀히ᄒᆞ며 뉘 아이 충찬헐니요 일일은 운학이 거럼을 ᄇᆡ와 거리의 나가 노다가 간 고지 업거날 역국이 사방으로 ᄎᆞ지니 종적이 업난지라 노방힝인이며 의웃ᄉᆞ람들을 보화을 만이 주며 아모리 ᄎᆞᆯ지라도 운학을 ᄎᆞᄌᆞ쥬신 ᄉᆞ람이 이시

P.38

면 갑실 후이 주리라 ᄒᆞ고 ᄒᆡ변이며 산고기며 두로두로 차지나 보와다 ᄒᆞ난 ᄉᆞ람이 엄고 ᄎᆞ질다 ᄒᆞ난 ᄉᆞ람도 업난지라 역국 부처 서로 탄식 왈 불상ᄒᆞ다 우리 운학을 어ᄃᆡ가 찻단말고 ᄒᆡ변의 나가다가 물ᄋᆡ 빠ᄌᆞ 죽엇난가 심순의 갓서 김ᄉᆡᆼ으ᄀᆡ 상ᄒᆞ엿난가 이갓치 답답한 일 어ᄃᆡ 또 잇단말고 저으 얼골도 앗갑거이와 인명이 불상ᄒᆞ다 실푸다 우리 팔ᄌᆞ 어이ᄒᆞ야 일어케 험악헌고 평ᄉᆡᆼ의 ᄌᆞ슥 업시 지ᄂᆡ다가 우연이 엇든 자슥 천금갓치 기루워서 후사을 전할야더니 니ᄌᆡ난 그도저도 안니 되니 실푸다 고금천지의 ᄂᆡ 팔ᄌᆞ갓탄 ᄉᆞ람 어ᄃᆡ 이실이요 ᄂᆡ 팔ᄌᆞ도 이러ᄒᆞ건이와 무상ᄒᆞ다 무ᄉᆞᆷ 멋목으로 난허당을 ᄃᆡ하여 보리요 난허당이 이 말을 드르면 그 모양 오작 헐가 가르치

P.39

기도 난처ᄒᆞ고 아이 가라치기도 난처ᄒᆞ다 이 갓치 답답ᄒᆞᆫ 일 어ᄃᆡ 이실고 천만가지로 ᄌᆞ저ᄒᆞ다가 헐 수 업서 ᄇᆡᆨ운암으로 드러가 전후사을 말삼ᄒᆞ니 운수당과 설월당이 석연이 안ᄌᆞ 아모 말도 못ᄒᆞ고 난허당은 안ᄌᆞ 우시며 왈 저 노인게서 울이 운학을 다러다러다가 천금갓치 귀이 키와 제도한다고 너무 조화ᄒᆞ야 ᄂᆡ게 와서 희롱ᄒᆞ난잇가 업다ᄒᆞ면 뉘가 고지 드르릿가 ᄒᆞ니 역국이 더옥 ᄉᆡᆨ번ᄒᆞ야 다시 아모 말도 못ᄒᆞ고 눈물만 흘이고 안ᄌᆞ거날 난히당히 그ᄌᆡ야 그 거동을 보고 참말인 줄 알고 천지 아득ᄒᆞ고 목이 막허 가삼을 ᄯᅮ다리고 방성통곡ᄒᆞ고 왈

불상ᄒᆞ다 운학아 네 모양 어ᄃᆡ로 갓난야 ᄉᆞ라난야 네가 일정 죽어스며 인명도 불상ᄒᆞ고 ᄂᆡ의 신세 어이헐고 네가 혹 ᄉᆞ라

P.40

시면 종적이 묘망할가 어ᄃᆡ가 찻단말고 슬푸다 팔ᄌᆞ야 일을 줄 어이 알고 전ᄉᆡᆼ의 운ᄋᆡᆨ인가 원수로다 화전상 풍파 만나 부모국을 이별ᄒᆞ고 ᄒᆡ도의 도적 만나 가장조ᄎᆞ 일코 잔잉ᄒᆞᆫ 이ᄂᆡ 목숨 참아 죽지 못ᄒᆞ기난 이씨의 일ᄆᆡᆨ 헐육 ᄂᆡ 복중의 기처잇서 천ᄒᆡᆼ으로 길너ᄂᆡ야 원통ᄒᆞᆫ 니씨 헐ᄆᆡᆨ을 세상의 전ᄒᆞᄌᆞ던이 이ᄌᆡᄂᆞᆫ 어이 할고 조물니 시기헌가 황천도 야속ᄒᆞ다 실푸다 설낭아 너난 날만 밋고 나ᄂᆞᆫ 어단 운학 ᄒᆞ나을 미덧던이 불상ᄒᆞ다 운학이 죽은 후의 혼ᄌᆞ ᄉᆞ라 무엇ᄒᆞ며 나조ᄎᆞ 죽어지면 녠들 혼ᄌᆞ ᄉᆞ라 무ᄉᆞᆷ 면목으로 고향을 가ᄌᆞᆫ말고 실푸다 나ᄂᆞᆫ 죽을지라도 너만 죽지 말고 ᄂᆡ 죽은 신ᄎᆡ을 이 산중 정쇄한 ᄃᆡ 무더두고 인혼 초혼ᄒᆞ여 주고 고향의 도라가

P.41

우리 시부모 전의 이 사정을 고ᄒᆞ여라 ᄒᆞ고 설월당과 서로 안고 궁을며 비ᄎᆞᆼ 막심ᄒᆞ니 운수당과 서역국이 그 ᄎᆞ목ᄒᆞᆫ 거동을 보고 갓치 실펴ᄒᆞ다가 붓들고 ᄇᆡᆨ 가지로 위로ᄒᆞ나 그 두리 즁치 막키여 정신 업고 역국이 닷시 ᄀᆡ유ᄒᆞ야 왈 황천니 무심치 아니ᄒᆞ시니 헐마 난허당의 신명이 그ᄃᆡ도록 건둔ᄒᆞ오면 이씨 헐ᄆᆡᆨ을 ᄭᅳᆫ치ᄀᆡ 하올잇가 운학의 용모골격이 요수헐 ᄉᆞ람도 아니요

비명의 쥭을 사람도 아니라 분명 어되 살아실 것신니 복원 난혀 당은 일시 아득한 ᄇᆡ회로 마음을 과니 상우지 말으시고 신명을 보존ᄒᆞ와 후일을 보옵소서 ᄒᆞ고 도라가거날 이적의 울남도 도적이 탐문ᄎᆞ로 단니다가 맛춤 운학을 보고 비범한 용모와 활달한 거동을

P.42

기특이 너겨 가만니 달려다가 ᄌᆞ슥을 ᄉᆞ마 기츌갓치 거두니라 그 도적은 장수ᄇᆡᆨ이라 운학 일홈을 곳처 장ᄒᆡ선이라 ᄒᆞ다 슬푸다 운학이 ᄉᆞᆷ 세 유ᄋᆞ로 지 성명 곳친 쥴을 어니 아리요 쏘ᄒᆞᆫ 장수ᄇᆡᆨ이 저의 부모 안인 쥴도 모로고 세월니 여류하야 운학의 나히 시오 세 되ᄆᆡ 골격이 쥰수ᄒᆞ고 용모 청숙하야 ᄌᆡ질이 불학문장이라 장수ᄇᆡᆨ이 극히 ᄉᆞ랑ᄒᆞ야 저의 동적 즁ᄋᆡ 일등 규수을 ᄐᆡᆨ취ᄒᆞ여 장ᄀᆡ을 보ᄂᆡ니 처부의 성명은 여천추라 천추 쏘한 ᄉᆞ회을 ᄉᆞ랑ᄒᆞ야 옥소을 ᄂᆡ여주며 왈 이 옥소난 우리 집 전뵈라 아무가 부러도 소ᄅᆡ가 아니나니 그ᄃᆡ 부러보와라 소ᄅᆡ나난가 ᄒᆞ거늘 인ᄒᆞ여 분이 그 소ᄅᆡ 청아ᄒᆞ다 괴상ᄒᆞ여 너기더라 실푸다 ᄒᆡ선은 저ᄋᆡ 부친 옥손 줄 어이 알며 여천추 저의 부모을 ᄒᆡ케ᄒᆞ고

P.43

ᄌᆡ물을 탈취ᄒᆞᆫ 줄을 엇지 아리요 ᄒᆡ선이 옥소 어던 후로 날마당 옥소을 불고 시월을 보ᄂᆡ더라 잇ᄃᆡ 맛춤 경과을 보니실ᄉᆡ ᄒᆡ선

이 힝장을 ᄎᆞ려 횡선을 ᄌᆞ바 타고 경성으로 힝할ᄉᆡ 돗ᄃᆡ을 서우
고 즁유로 나오다가 홀연 풍파을 만나 포풍ᄒᆞ여 어난 고진 쥴
모로더니 천신만고의 바람ᄌᆞ며 한 고ᄃᆡ 다이거늘 ᄇᆡ예 날려보
니 청산이 심수ᄒᆞ고 기ᄉᆞᆼ이 수려ᄒᆞ거날 위선 반겨ᄒᆞ여 마을을
향ᄒᆞ여 드려가니 한 고루거각이 잇난지라 일모도궁ᄒᆞ여 그 집
으로 드러가니 즁문을 심쇠ᄒᆞ고 외당이 적요ᄒᆞ거늘 당상의 올
나가 박탁고성ᄒᆞ니 시비 나와 문 왈 엇더ᄒᆞᆫ 손임인지 이 집
쥬인 아모도 업ᄂᆞᆫ이다 ᄒᆡ선 왈 나ᄂᆞᆫ 원방 ᄉᆞ람으로서 과거을
볼여 가더니 니 곳지 어난 고지라 ᄒᆞ며 이 ᄃᆡᆨ은 어난 ᄃᆡᆨ

P.44

이라 ᄒᆞ오며 주인은 어ᄃᆡ 가선난야 시비 왈 이 곳은 강능추월이
라 ᄒᆞ고 이 ᄃᆡᆨ은 이감ᄉᆞᄃᆡᆨ이옵더이 심 연 전의 황ᄒᆡ 감ᄉᆞ갓섯ᄶᅡ
가 도ᄅᆞ오시난 길의 포풍을 만ᄂᆡ 복선ᄒᆞ여 죽어다 ᄒᆞ더니다
ᄒᆞ며 ᄌᆞ서니 보고 ᄂᆡ당의 드려가 ᄃᆡ감전의 고 왈 밧ᄀᆡ 오신
손임이 천연ᄒᆞᆫ 우리집 쥭은 ᄃᆡ감임과 방불ᄒᆞ더니 ᄒᆞ니 ᄃᆡ감
왈 세상의 혹 열골 갓타 니 닛난니라 급피 외당의 나와 연접ᄒᆞ여
왈 손임의 성명은 뉘시라 ᄒᆞ면 ᄯᅩᄒᆞᆫ 어ᄃᆡ 기시나잇가 ᄒᆡ선이
ᄃᆡ 왈 ᄉᆡᆼ은 황ᄒᆡ도 울남 ᄉᆞ난 ᄌᆞᆼᄒᆡ선이로소이다 ᄃᆡ감 왈 황ᄒᆡ도
기시면 십 연 전의 황ᄒᆡ감ᄉᆞ 이죽ᄒᆞ난 긔ᄅᆡ 복선ᄒᆞ여 물의 ᄲᆡ저
죽어ᄶᅡᆫ 말을 드러난잇가 ᄂᆡ ᄌᆞ슥 ᄂᆡ외가 그 소조을 당ᄒᆞ옵고
노물의 완명은 죽지 못ᄒᆞ고 여ᄐᆡ가지 ᄉᆞ라난이다 ᄒᆡ선 왈 ᄉᆡᆼ의
나히 십오 ᄉᆡ로소이다 ᄃᆡ감

P.45

왈 ᄂᆡ ᄌᆞ슥 쥭던 회예 낫시니 엇지 아리요 ᄉᆡᄉᆞᆼᄋᆡ 야속히 갓튼
얼골도 잇도다 처음 보난 인ᄉᆞ의 미안ᄒᆞ오난 손님으 면목이
천연ᄒᆞᆫ ᄂᆡ의 쥭은 ᄌᆞ슥 갓튼지라 오날날 쥭은 ᄌᆞ슥 면목을 완연
닷시 본덧 비회을 이기지 못ᄒᆞ나 원컨ᄃᆡ 노부의 망영되물 눌여
ᄉᆡᆼ각ᄒᆞ여 허물치 마옵소서 희선 왈 셰상의 혹 갓튼 ᄉᆞ람 잇난이
다 ᄒᆞ고 석반 후 헌함을 비겨 ᄉᆞ방을 귀경ᄒᆞ더니 잇ᄯᆡ 이미
황혼이라 월출동영ᄒᆞ여 야ᄉᆡᆨ이 아롬답거늘 횡장을 글너 옥소을
ᄂᆡ야 ᄒᆞᆫ 곡조을 분니 그 곡조 ᄌᆞ연 처량ᄒᆞ여 ᄉᆞ람의 마을 감동케
ᄒᆞ더라 ᄃᆡ감이 누웟다가 드르니 니전의 듯던 옥소 소ᄅᆡ어날
경황실ᄉᆡᆨ하여 일어 나와보니 놀나울ᄉᆞ 강능추월 옥통소라 통소
을 어로만지며 눈무을 흘니고 문 왈 이 통

P.46

소나 엇지헌 통소은잇가 희선 왈 이 옥소난 우리 빙가의 ᄉᆡ전지
물이라 ᄒᆞᆫ고 빙부가 쥬더니다 ᄃᆡ감ᄭᆡ옵서 무삼 일노 저다지
경황ᄒᆞ며 이다지 실허ᄒᆞ여 문잡난잇가 ᄃᆡ감 왈 세ᄉᆞᆼ의 고이ᄒᆞᆫ
이리로다 죽은 ᄌᆞ슥이 저 압ᄉᆞᆫ 삭옥봉의 올나 노다가 천상 선관
의ᄭᆡ 어든 강능츄월리라 달은 ᄉᆞ람은 부러도 소ᄅᆡ 아니 나난
고로 혼ᄌᆞ 부다가 황히감ᄉᆞ로 갈 ᄃᆡ예 가지고 간 후로 저와
갓치 무ᄅᆡ ᄲᆡ지난ᄃᆡ 그후 엇지 되온 쥴 모로더니 오날날 닷시
볼 쥴 엇지 아리요 ᄯᅩᄒᆞᆫ 천상 선관의 만든 추월 소ᄅᆡ 싸겨시니
강능ᄉᆞ람을 준거시라 엇지 ᄉᆡ상의 강능추월과 갓튼미 이실요

아지 못커라 손임으 빙장은 뉘시며 ᄉᆡ전지물이란고만 드려난잇
가 어ᄃᆡ가 어든 쥴 모로난잇가 이것시 아모리 ᄉᆡᆼ각ᄒᆞ여도 우리
집 퉁쇠라 여씨난 강능사람이

P.47

아니라 엇지 여씨의 퉁소라 ᄒᆞ며 분명 강능추월을 ᄊᆞ기리요
날갓탄 늘근 ᄉᆞ람을 위ᄒᆞ야 주고옵소서 ᄒᆞ고 눈물을 무수이
흘니며 실픈 마음을 금치 못ᄒᆞ거늘 ᄒᆡ선니 그 거동을 보고 ᄯᅩᄒᆞᆫ
비감ᄒᆞᆫ 마음 절노 소ᄉᆞ나니 ᄉᆡᆼ각건ᄃᆡ 이 일니 괴ᄉᆞᆼᄒᆞ도다 퉁소
의 강능추월니라 싸겨시니 반다시 강능사람의 퉁쇠요 천상 선
관으ᄀᆡ 어더단 말은 당연ᄒᆞ나 운람 여씨의 집이 잇기난 만무하
고 ᄉᆞ람마당 부러도 소ᄅᆡ 아니 난이 엇지 여씨 셰전지물이란
말도 괴상ᄒᆞ고 ᄯᅩ 다른 ᄉᆞ람은 부러도 소ᄅᆡ 아니 난ᄂᆞᆫ 것시
ᄂᆡ가 부러 소ᄅᆡ 나난 것시 괴상ᄒᆞ도다 ᄒᆞ고 주인을 위로 왈
ᄃᆡ감ᄀᆡ옵서 너무 실허마옵소서 아즉은 주고 갈 수 업ᄉᆞ온 시ᄉᆡᆼ
이 도라가 빙즁ᄀᆡ ᄌᆞ서이 무러보아 만일 ᄃᆡ감ᄃᆡᆨ 퉁소오면 닷

P.48

시 왓서 전ᄒᆞ오리ᄃᆞ ᄒᆞ고 즉시 길을 써날ᄉᆡ ᄃᆡ감이 ᄋᆡ연ᄒᆞᆫ 마음
을 진정치 못ᄒᆞ야 도라갈 적ᄋᆡ 닷시 보기을 신신부탁ᄒᆞ더라
ᄒᆡ선이 ᄃᆡ답ᄒᆞ고 경성ᄋᆡ 올나가 과일을 당ᄒᆞ여 득득히 등과ᄒᆞ
여 월즁단기을 썩거쥐고 용문의 올나 홍ᄑᆡ 무류쥐고 장안ᄃᆡ도
상 장원을 실ᄂᆡ하니 상이 극히 ᄉᆞ랑ᄒᆞ사 황ᄒᆡ도 어ᄉᆞ을 ᄌᆡ수ᄒᆞ

시고 어주 삼ᄇᆡᆨ의 마ᄑᆡᆨ을 무류와 역졸을 수십ᄒᆞ고 도라올 적의 철윤이 절노 씨니여 ᄃᆡ감이 전ᄒᆞ시던 말슴을 ᄉᆡᆼ각ᄒᆞ고 강능으로 드러갓서 어ᄉᆞ 힝ᄉᆡᆨ을 은위ᄒᆞ고 ᄃᆡ감을 ᄎᆞ즈니 ᄃᆡ감이 반서나와 하시난 말슴이 금번 ᄌᆞᆼ원급ᄌᆡ난 황ᄒᆡ도 장ᄒᆡ선이라 ᄒᆞ옵기로 반겨ᄒᆞ여더니 힝ᄉᆡᆨ이 엇지 저러ᄒᆞ옵잇가 ᄒᆡ선니 왈 강능추월 옥통소도 잇거던 ᄌᆞᆼ원급ᄌᆡ

P.49

ᄌᆞᆼᄒᆡ선니도 엇지 동명이 업스리요 ᄒᆞ고 수일 유ᄒᆞ여 ᄯᅥ날ᄉᆡ ᄃᆡ감 왈 인지가면 언ᄌᆡ 올지 모로오니 이러ᄒᆞᆫ 늘근 거시 죽기가 가ᄌᆞ은지라 그 퉁소을 주고 가시면 ᄂᆡ 두고 ᄌᆞ식보난다시 불터이오나 물강유주라 ᄒᆞ고 난처이 여기나이다 ᄒᆡ선이 왈 ᄂᆡ 도라가서 단단니 뭇고 부ᄃᆡ 통기ᄒᆞ리다 ᄒᆞ고 전별ᄒᆞ고 길을 ᄯᅥ나바로 ᄒᆡ주로 변저 들어가 각읍ᄉᆞ을 ᄎᆞᄎᆞ 염문ᄒᆞ며 ᄒᆡ주로 갈ᄎᆞᄋᆡ 주점ᄋᆡ 들어가니 엇더ᄒᆞᆫ ᄉᆞ람이 술을 ᄉᆞ먹으며 서로 걱정ᄒᆞ난 말리 ᄒᆡ주난 울남도 도적으로 ᄒᆞ여곰 봉물을 임의로 왕ᄂᆡ치 못할ᄂᆡ라 그 놈들을 엇지 ᄒᆞ여야 ᄌᆞᆸ깃난야 ᄉᆡ상ᄋᆡ ᄎᆞᆷ혹한 일도 이서 모연 모일의 강능 이감ᄉᆞ 이즉하야 갈 ᄯᆡ에 그 놈들리 ᄌᆡ물을 탈취ᄒᆞ고 나난 간신니 ᄉᆞ라왓노

P.50

라 그 놈을 잡으면 만민의 적선니라 이번 급ᄌᆡᄂᆞᆫ 울남도 도적의 아다리 ᄒᆞ니 젹실리 아지 못ᄒᆞ나 도적놈의 ᄌᆞ식이 급ᄌᆡᄒᆞ면

무엇홀고 ᄒᆞ더라 어ᄉᆞ 드르니 제 말리라 어사 왈 운남도 도적이 란 말은 ᄂᆡ 듯지 못ᄒᆞᆫ ᄇᆡᄅᆞ 그려ᄒᆞ면 ᄒᆞᆫ심ᄒᆞᆫ지라 ᄯᅩ 강능 이감ᄉᆞ 풍파만ᄂᆡ 복선ᄒᆞ엿다 ᄒᆞ던니 저 아전의 말을 드르니 적실ᄒᆞ도 다 ᄯᅩ 이ᄌᆡ야 ᄉᆡᆼ각ᄒᆞ니 옥소난 이감ᄉᆞ의 옥소라 긋ᄯᆡ 탈취ᄒᆞᆫ 거시로다 ᄒᆞ고 천여니 문 왈 긋ᄯᆡ 이감ᄉᆞ 죽엇난가 ᄉᆞ란난가 그 아전 왈 불각ᄎᆞᆼ졸잔에 ᄌᆞ서이 알 수 업건이와 모신 ᄒᆞ인도 ᄉᆞ라온거시 ᄆᆡ치 아니 될터이라 어ᄉᆞ 듯기을 맛ᄎᆞᄆᆡ 마음의 ᄌᆞᆼ치ᄒᆞ고 운남도 도적을 탐지코저 ᄒᆞ야 ᄇᆡ을 타고 들어가니 ᄒᆞᆫ 집마당의 동화불을 놋코 여러이 모와 안ᄌᆞ ᄒᆞ난 말이 분

P.51

주ᄒᆞ거늘 수목을 은신ᄒᆞ고 ᄌᆞ서이 드르니 도적ᄒᆞᆫ 물건을 ᄌᆞ랑 ᄒᆞ며 점고할 ᄌᆡ ᄒᆞᆫ ᄉᆞ람의 말리 ᄌᆞᄂᆡ 아다리 금번 급ᄌᆡᄒᆞ엿다 말은 이스나 일숙이 넘도록 엇지 도문 아니 ᄒᆞ난고 그 도적이 답ᄒᆞ난 말리 이ᄌᆡ ᄌᆞᄂᆡᄂᆞᆫ 모로난가 ᄉᆡᄉᆞᆼ의 남의 ᄌᆞ식이 다 거짓 거시라 아모 연분의 ᄇᆡᆨ학ᄉᆞᆫ 동구의 지ᄂᆡ다가 서역국집 압ᄒᆡ 엇더ᄒᆞᆫ 아ᄒᆡ가 놀거날 탐지ᄒᆞᆫ니 역국의 수양ᄌᆡ라 거동이 비범 ᄒᆞ기로 다려다가 긔출갓치 길너던니 진들 엇지 다른 줄 아리요 마ᄂᆞᆫ 무삼 마음으로 이적지 아니 오난고 아마도 남의 ᄌᆞ식은 거짓 ᄀᆡ라 아이 온들 어이할고 하거날 ᄒᆞᆫ 도적이 여천추ᄯᅡ리 문 왈 저 ᄉᆞ람은 그려ᄒᆞ건이와 만일 오지 아니ᄒᆞ면 ᄌᆞᄂᆡ ᄯᆞᆯ은 어이 할고 ᄒᆞᆫᄃᆡ 여천추 ᄒᆞ난 말리 ᄌᆞᄂᆡ난 그 말 마

P.52

소 과거ᄒᆞ야 유과ᄒᆞ면 ᄌᆞ연이 더딜 거시라 부모와 안히을 두고 엇지 아니 오리요 만일 아니 오면 우리ᄇᆡ 도여 계관 이슬가 ᄂᆡ ᄯᆞᆯ 다른 가문ᄋᆡ 가면 고만니거니와 제일 분ᄒᆞᆫ 거시 황히도 감ᄉᆞ 짐을 탈취ᄒᆞ고 어든 거시 강능추월 옥통소라 그 거시 ᄀᆡ이ᄒᆞᆫ 보ᄇᆡ로 심장ᄒᆞ엿다가 그 거슬 ᄉᆞ회라 ᄒᆞ고 주엇던니 인ᄌᆡ난 이렷도다 ᄒᆞ거날 어ᄉᆞ 듯ᄀᆡ을 다ᄒᆞᄆᆡ 분ᄒᆞᆫ 마음이 ᄐᆡᆼ천ᄒᆞ야 간담이 썰이면 견ᄃᆡ지 못ᄒᆞ나 범어ᄉᆞ을 엇지 급급히 ᄒᆞ리요 먼저 ᄇᆡᆨ학ᄉᆞᆫ을 ᄎᆞᄌᆞ 가서 서역국의ᄀᆡ 시종을 뭇고 보리라 ᄒᆞ고 즉시 나와 주점ᄋᆡ ᄌᆞ고 명일 조발ᄒᆞ야 말을 ᄌᆡ촉ᄒᆞ야 평임역ᄋᆡ 말마ᄒᆞ고 곽화촌을 무러 ᄇᆡᆨ학ᄉᆞᆫ 동구을 ᄎᆞᄌᆞ 들어가니 서역국의 주점이라 반겨하와 드러가 쉬더니 석반을 먹은 후ᄋᆡ 역국을 불너 왈 심심

P.53

ᄒᆞᆫ니 ᄒᆞᆫ가지 노ᄌᆞ ᄒᆞ거날 역국이 드려와 어ᄉᆞ을 ᄇᆡ온ᄃᆡ 어ᄉᆞ가 외면은 유산ᄀᆡᆨ갓치 원근ᄉᆞᆫ천 명승지지도 뭇고 주찬을 청ᄒᆞ여 주ᄀᆡᆨ이 취포토록 먹고 천연니 문난 말리 노인의 춘추 언마나 ᄒᆞ시며 ᄌᆞᄌᆡ난 멧낫치 잇나잇가 역국이 ᄎᆞ연 탄 왈 연광이 칠십ᄋᆡ 일점혈륙이 업서 연젼ᄋᆡ 남의 ᄌᆞ식 강보ᄋᆡ 싸인 거슬 다려다가 ᄀᆡ출갓치 길너ᄂᆡ여 삼 ᄉᆡ가 되여 거리예 놀너 갓다가 경각간ᄋᆡ 간고지 업서 ᄉᆞ방으로 ᄎᆞ즈되 ᄎᆞᆺ지 못ᄒᆞ고 우금 갓치 근심으로 지ᄂᆡᄆᆡ 불ᄉᆞᆼᄒᆞᆫ 마음 진정치 못ᄒᆞ나이다 어ᄉᆞ 그 말을 듯고

마음ᄋᆡ 비감ᄒᆞ여 왈 노인 신명이 극히 불ᄉᆞᆼᄒᆞ다 그러나 수양ᄌᆞ
난 엇더ᄒᆞᆫ ᄉᆞ람의 ᄌᆞ식인잇가 역국이 그 말ᄉᆞᆷ ᄒᆞᄌᆞᄒᆞ오니 가ᄉᆞᆷ
이 ᄆᆡᆨ키 말을 못할다 ᄒᆞ고 이윽히 ᄒᆞᆫ심짓고 왈 저 ᄇᆡᆨ학ᄉᆞᆫ ᄇᆡᆨ운암

P.54

ᄋᆡ 잇난 난희당이라 ᄒᆞ난 중이 처음 응틔ᄒᆞ고 삭발위승ᄒᆞ엿다
가 ᄋᆡᆨ이을 나흐니 옥동ᄌᆞ이라 승당ᄋᆡ서난 길읏키 어러워서 ᄂᆡ
ᄀᆡ 수양ᄌᆞ로 보ᄂᆡᆫ 거시로이다 어ᄉᆞ 왈 난혀당은 본ᄃᆡ 어ᄃᆡ ᄉᆞ람
이라 ᄒᆞ던잇가 역국이 왈 일시 지ᄂᆡ난 ᄉᆞ람이 그 근본은 ᄌᆞ서이
아라 무엇ᄒᆞ깃난요 늘근 ᄉᆞ람의 ᄉᆞᆼᄒᆞᆫ 심희을 더욱 상ᄒᆞ계 ᄒᆞ난
잇가 어ᄉᆞ 왈 맛츰 듯ᄉᆞ오니 그 일리 절절리 슬푸고 불상ᄒᆞ와
듯고저 할 분더러 ᄀᆡᆨ지고등ᄋᆡ ᄌᆞᆷ은 업고 심심ᄒᆞ와 이약이 ᄉᆞᆷ아
문노이다 역국이 왈 그 난희당이라 ᄒᆞ난 중은 본ᄃᆡ 강능ᄉᆞ난
이감ᄉᆞ 안희로서 황희감ᄉᆞ 갓다가 도라오난 기ᄋᆡ ᄒᆡ도 도적놈
의 환난을 당ᄒᆞ여 시비로 더부러 간신이 ᄉᆞ라 구명도ᄉᆡᆼᄒᆞ여
ᄇᆡᆨ학ᄉᆞᆫ ᄇᆡᆨ운암ᄋᆡ 와 승이 되얏나이다 ᄒᆞ니 어ᄉᆞ 그 말을 듯고
슬픈 마음을 이기지 못ᄒᆞ야 ᄌᆡ우 참아 취침ᄒᆞ고저 ᄒᆞ니 엇지
ᄒᆞᆫ심이

P.55

아니 나리오 ᄀᆡᆨᄎᆞᆼ명월ᄋᆡ 전전반측ᄒᆞ여 마음도 수란ᄒᆞ다 강능집
을 ᄉᆡᆼ각ᄒᆞ니 눈ᄋᆡ ᄉᆞᆷᄉᆞᆷ 못견듸겟소 울도ᄒᆞᆫ ᄉᆞ정을 ᄉᆡᆼ각ᄒᆞ야
오날밤 어서 ᄉᆡ면 즉각 ᄇᆡᆨ운암을 올나가서 어만임을 만ᄂᆡ 보면

목석인들 온전ᄒᆞ리 공ᄉᆞᆫ반야ᄋᆡ 무슨 ᄉᆡ 슬피우노 ᄒᆞᆫ순ᄉᆞ 어ᄃᆡ ᄆᆡ요 북소ᄅᆡ도 더ᄃᆡ도다 강촌ᄋᆡ 달기 운이 ᄉᆡᄇᆡ 소식 반갑도다 청신ᄋᆡ 이러ᄋᆞᆫᄌᆞ 옥소을 슬피 부니 비회을 둘 ᄃᆡ 업다 곡조을 못 마처서 동방이 발가오니 조반을 ᄌᆡ촉ᄒᆞ여 밧비 먹고 ᄇᆡᆨ학ᄉᆞᆫ 동구을 들어가니 천봉만ᄒᆞᆨ은 운소ᄋᆡ 소사 잇고 긔화요초ᄂᆞᆫ 동구ᄋᆡ 덥편난ᄃᆡ 이ᄉᆞᆼᄒᆞᆫ 향긔난 ᄉᆞ람을 쏘인도다 긔이한 ᄉᆡ소ᄅᆡ 난 모닥모닥 ᄀᆡᄀᆡᄒᆞ난ᄃᆡ 엇더ᄒᆞᆫ ᄇᆡᆨ수노인니 구름을 타고 ᄇᆡᆨ학을 압픠 놋코 ᄒᆞᆫ가히 노ᄅᆡᄒᆞ니 그 곡조ᄋᆡ ᄒᆞ엿쓰ᄃᆡ ᄇᆡᆨ학ᄉᆞᆫ은 선경이라 속ᄀᆡᆨ 오기 쓧바기라 우

P.56

숩도다 ᄌᆞᆼᄒᆡ선아 너의 성명 무삼 일노 곤ᄎᆡ난요 슬푸다 이운학아 환부역조 무삼 일고 그다지 변역ᄒᆞ니 불효을 면할손야 삭옥봉 강능추월 네게 올 줄 어이 알고 원수가 은인이라 강능 너의 집이 두 번 가도 못만ᄂᆡ거던 ᄇᆡᆨ운암 올나간들 너의 면목 뉘가 알고 슬푸다 너의 어만임 만ᄂᆡ보기 어렵도다 승당ᄋᆡ 우환이서 ᄎᆡ약할려 갓더니 도라오기 긔달인들 어느 천연 만ᄂᆡ불고 정성이 지극ᄒᆞ면 만ᄂᆡ보기 쉬우리라 홍옥병 청옥병ᄋᆡ ᄊᆡᆨ인 글ᄌᆞ 보와서라 죽은 목숨 통ᄒᆞ거던 언어늘 조심ᄒᆞ고 승선각ᄋᆡ 나와 안ᄌᆞ 통소을 부러보라 노ᄅᆡ을 긋친 후ᄋᆡ ᄇᆡᆨ학을 손ᄋᆡ 밧고 구름을 타고 공중을오 향ᄒᆞ야 가거늘 어ᄉᆞ 급피 좃ᄎᆞ 가니 그 노인 아ᄌᆞ던 ᄌᆞ리ᄋᆡ 옥병 두리 노엿ᄂᆞᆫ지라 홍옥병ᄋᆡ 회ᄉᆡᆼ수라 싹이고 청옥병ᄋᆡᄂᆞᆫ ᄀᆡ명

P.57

주라 싹여거날 이승이 여겨 옥병 두르 가지고 수 리을 들어가니 요조흔 운임 ᄉᆞ이예 정쇄한 암ᄌᆞ 잇거날 문전의 들어가니 난혀당이 누워 조우다가 홀연 일몽을 어든이 반가올ᄉᆞ 운학이 오식용을 타고 발근 달을 손의 밧들고 공중으로 나러와 ᄒᆞᄂᆞᆫ 말리 불효ᄌᆞ 운학이 왓나이다 어만임은 나을 기르시고 어이 사라겟신잇가 ᄒᆞ며 절ᄒᆞ거날 급피 ᄂᆡ달나 달여 들어 서로 붓들고 궁그다가 운학은 간 ᄃᆡ 업고 다만 헛몽중이라 ᄉᆡ로 가삼이 맛게 ᄎᆡ양흔 눈물리 비오다시 흘르며 정신니 ᄌᆞ연 ᄌᆞᄌᆞ지고 삼혼구빅이 흡긔여 속절업시 죽은 몸이 도여 ᄭᆡ여나지 아이ᄒᆞᄂᆞᆫ지라 선월당과 운수당이 망조ᄒᆞ와 아무리 할 줄 모로더라 ᄇᆡᆨ 가지로 약을 써도 무가ᄂᆡᄒᆞ라 초상을 치러ᄒᆞ고 몸을 움직기러ᄒᆞ니 써

P.58

러지지 안니 ᄒᆞ난지 할 길 업서 문을 잠무고 다만 울긔만 ᄒᆞ더니 잇ᄃᆡ ᄉᆞ문 밧게 긔침소ᄅᆡ 들이거날 보니 과거ᄒᆞ난 ᄉᆞ람이라 여승이 눈물을 흘니고 왈 즉금 승당의 초상을 당ᄒᆞ여 속긱을 ᄃᆡ접 못ᄒᆞ니 가옵소서 하거날 어ᄉᆡ 급히 문 왈 무삼 병으로 죽언난잇가 일시 지ᄂᆡ난 속긱이라도 좀칠 의약을 안나니 원컨ᄃᆡᆫ 신치을 보사이이다 설월당이 왈 아모리 의약이 조흔들 죽기 전의ᄂᆞᆫ 혹 곤치려와 임이 죽은 후의야 엇지 ᄒᆞ리요 어ᄉᆞ 왈 아모리 죽엇다 ᄒᆞ여도 혹 곤칠 약이 이서 회ᄉᆡᆼᄒᆞᄂᆞᆫ 도리 잇나이다 저 문을 흡시 여러 주시요 ᄒᆞ니 성월당이 왈 죽은 ᄉᆞ람 살일

약이스면 즉히 조흐리요마는 이는 곳 편즉갓흔 의원이라도 못 흐리라 엇더흔 숙긱이 공연이 들어와 수다이 그러나닛가 어스 왈 나도 스람이어던

P.59

남 죽은 신치 보기을 조와 흐리요 흐며 또 주인지도리에 그다지 박절흐신잇가 운수당이 왈 불승흔 스람이 혹 죽어서 황천이 감동흐야 의약흐난 스람을 보닉신가 빅운암은 본딕 속긱이 아니오난 고지라 오날날 속긱이 오시기도 이승흔 이리라 흐고 문을 여러주거날 어스 들어가 보니 숨은 업스나 안식은 조곰도 변치 아니흐거날 어스 왈 죽은 승니 필연 원통흔 일리 이서 막히도다 흐고 즉시 홍옥병수를 긔우려 입의 들이오니 저근닷 흐야 일신수족의 혈믹이 돌이고 목의 숨이 통흐거날 또 청옥병수을 긔우려 귀예 엿코 눈의 바르니 귀가 열이고 소릭나난 덧흐고 눈을 들어 스방을 보난 덧흐거날 그 총명흐미 그전의서 더흐더라 설월당과 운수당이 보고 놀닉며 반갑흐여 난혀당

P.60

을 붓들고 우다가 어스의게 치스 왈 순승이 무지흐여 존빈 신묘흔 지조을 모로고 미련흔 말슴흐엿스오니 부딕 눌여 싱각흐시오 그다지 큰 공덕을 어이 다 갑스올리잇가 어스 왈 저근 일노 크기 치스흐오니 도로 부란흐오 흐고 승선각의 나와 두로 방황흐다가 즈연 탄식흐되 슬푸다 우리 모친 치약하려 갓다하니

어난 ᄊᆡ 오실ᄂᆞᆫ지 심회을 억ᄌᆡ치 못ᄒᆞ와 옥소를 잡아 ᄒᆞᆫ 곡조을 분이 그 요료ᄒᆞᆫ 소ᄅᆡ 우난 덧 ᄉᆡᆼ각난 덧 만단 비회을 열어ᄂᆡᄂᆞᆫ지라 잇ᄊᆡ 난회당이 정신을 ᄎᆞ려 그 신약으로 ᄉᆞ라나믄 덕을 감격ᄒᆞ야 설월당을 보ᄂᆡ여 청할ᄉᆡ 승선각ᄋᆡ 올나가니 어와 반갑다 이 어인 옥소란고 압히 안ᄌᆞ보니 반갑고 이ᄉᆞᆼᄒᆞ다 강능추월 우리 통소 이ᄋᆡ 왓단말가 급피 드러가 난혀당ᄀᆡ 고ᄒᆞ니 난혀당이 놀ᄂᆡ 왈

P.61

ᄉᆡᄉᆞᆼᄋᆡ 이 어인 말고 ᄎᆞᆫ말린가 어서 밧비 가보ᄌᆞ ᄒᆞ고 전지도지 나가본니 과연 강능추월 옥통소라 경황질ᄉᆡᆨᄒᆞ여 울적ᄒᆞᆫ 마음으로 달여 들고저 ᄒᆞ나 다시 ᄉᆡᆼ각ᄒᆞ니 아모ᄅᆡ도 가군이 ᄒᆡ중ᄋᆡ 죽은 혼이 도라와 통소을 나을 줄여 ᄒᆞ난가 ᄂᆡ 죽은 줄 알고 보ᄂᆡ던가 천만괴ᄉᆞᆼᄒᆞ다 ᄒᆞ고 문난 마리 손임은 그 통소을 어ᄃᆡ서 어던ᄂᆞᆫ잇가 어ᄉᆞ 왈 옥소난 우리 세전지지물리라 무ᄉᆞᆷ 일노 뭇나잇가 난혀당 왈 그 옥소 소ᄅᆡ 극히 체량ᄒᆞ와 이전ᄋᆡ 듯던 소ᄅᆡ 갓ᄒᆞᄆᆡ 뭇ᄌᆞᆸ거니와 세전지물이라 ᄒᆞ오면 어ᄃᆡ 계시며 성씨난 누라 ᄒᆞ신나잇가 어ᄉᆞ 왈 ᄂᆡ 셩은 이요 고향은 강능이로소이다 한ᄃᆡ 난혀당이 더욱 고히 너겨 ᄉᆡᆼ각ᄒᆞ되 혹 이감ᄉᆞ의 일족되난가 강능추월도 두리 잇난가 의

P.62

심ᄒᆞ야 다시 문난 말리 강능의 잇다 ᄒᆞ고 ᄯᅩ 잇씨라 ᄒᆞ니 이감ᄉᆞ

난 본듸 ᄒᆞ나ᄲᅮᆫ니요 감ᄉᆞ 실ᄂᆡ도 본듸 ᄒᆞᆫ난이라 손임계서 이감ᄉᆞ ᄌᆞ직라 ᄒᆞ니 세ᄉᆞᆼ의 이 어인 말고 ᄂᆡ의 팔ᄌᆞ 신명이 지극히 긔구ᄒᆞ여 즉금 이 심산궁곡에 와 이 모양이 되여쓰나 과연 이감ᄉᆞ의 ᄂᆡ실리라 ᄂᆡ 다른 ᄌᆞ식 업고 다만 ᄒᆞ나 나아 강보유아 적 일어더니 슬푸다 이 어인 말고 ᄒᆞ면 얼곤만 ᄌᆞ서이 보거날 어ᄉᆞ 그 이감ᄉᆞ ᄂᆡ실리란 말을 듯고 반갑고 슬푼 마음 억지치 못ᄒᆞ야 달여 들고저 ᄒᆞ다가 다시 문난 말리 이감ᄉᆞ ᄂᆡ실니라 ᄒᆞ고 ᄯᅩ 난혀당이라 ᄒᆞ고 강보유아를 일엇다 ᄒᆞ니 유아을 서역국의계 수양ᄌᆞ 주엇다가 이런난잇가 ᄒᆞ니 난혀당이 듯다가 적실이 ᄌᆞ식인 줄 알고 달여드러 안고 궁글며 왈 슬푸

P.63

다 운학아 나ᄂᆞᆫ 과연 너의 엄미라 황쳔니 감동ᄒᆞ사 너을 이 산중의 보ᄂᆡ여 죽은 날을 살이고 모ᄌᆞ 상봉ᄒᆞ니 너 귀신인야 ᄉᆞ람인야 ᄂᆡ의 마음 엇덧타할야 반갑고도 질겁도다 왼말이고 이 쳔지예 ᄯᅩ 일려ᄒᆞᆫ 일 잇ᄂᆞᆫ가 난혀당과 어ᄉᆞ 낫칠 한틔 다이고 졍신이 아득ᄒᆞ여 긔식ᄒᆞ니 셜월당과 운수당이 ᄯᅩ 실셩통곡ᄒᆞ다가 붓들고 위로ᄒᆞ더라 서역국 부쳐 ᄯᅩ 그 말을 듯고 ᄯᅩ ᄶᅩ차와 ᄉᆡ로이 서로 붓들고 울거날 그 비감ᄒᆞᆫ 모양은 차마 다 형언 못할디라 어ᄉᆞ 정신을 차려 사ᄆᆡ로 모친의 눈물을 ᄯᅡ그며 왈 어만임은 진졍ᄒᆞᆸ소셔 우리 모ᄌᆞᄂᆞᆫ 임이 만낫씨니 다ᄒᆡᆼᄒᆞ오나 다만 아반임을 사ᄉᆡᆼ을 모로오니 어만임은 함계 활ᄂᆞᆫ을 당ᄒᆞ시ᄆᆡ

P.64

혹 긔역ᄒᆞ깃습나잇가 어이ᄒᆞ여야 아반임 ᄉᆞ싱을 아리오 ᄒᆞ며 서로 손을 붓들고 승당으로 드려가 ᄎᆞ츰 말ᄉᆞᆷ홀ᄉᆡ 설월당도 ᄉᆞ싱동거ᄒᆞᆫ 줄 알고 몬ᄂᆡ몬ᄂᆡ 층찬ᄒᆞ며 운수당은 활인지부리라 ᄐᆡ산갓ᄒᆞᆫ 은혀을 못ᄂᆡ 치ᄒᆞᄒᆞ며 서역국을 ᄃᆡᄒᆞ여 ᄉᆞᆷ연 수양ᄒᆞ던 은덕과 ᄂᆡ종ᄋᆡ 자서이 가라치던 수고ᄒᆞ던 말을 치ᄒᆞᄒᆞ고 모친을 위로 왈 당초 횡ᄋᆡᆨ은 귀신니 저히ᄒᆞ미요 중간 ᄉᆞ긔난 ᄒᆞ날리 감동ᄒᆞ미라 전후 사연을 말ᄒᆞ오리다 ᄒᆞ고 ᄎᆞ세 말할ᄉᆡ 운남국 장수ᄇᆡᆨ의 집이서 ᄌᆞᄅᆡ나고 여천추의 ᄉᆞ회된 말과 퉁소 어든 말과 과거 가난 길에 풍파 만내 강능 본가에 가서 퉁소 부러 조부임과 ᄒᆞᆫ 가지 안ᄌᆞ던 말과 과거ᄒᆞ와 황히도 어ᄉᆞᄒᆞ여 오난 길에 ᄒᆡ주 아전의 말을 듯고 운남도

P.65

도적을 탐지할 ᄌᆡ 장수ᄇᆡᆨ이 집에 가만이 들어간 말리며 여천추 ᄌᆡ물 탈취할 ᄯᆡ 통소 아ᄉᆞ간 말이며 서역국 집에 와 문난 마리며 ᄯᅩ 동구ᄋᆡ서 도ᄉᆞ 노ᄅᆡ들은 말과 홍옥병 청옥병 어듯 말을 낫낫치 고ᄒᆞ니 그 모친이 더옥 비감ᄒᆞ더라 어ᄉᆞ 왈 어만임 너무 비감마옵소서 죄ᄃᆡ악극ᄒᆞᆫ ᄌᆞ식도 ᄌᆞᆷ시 ᄎᆞᆷ아 고으ᄅᆡ 들어가서 출도ᄒᆞ와 불공ᄃᆡ천지원수을 갑푸리라 ᄒᆞ고 ᄯᅥ나 ᄒᆡ주로 들어가 각처 역졸을 분부ᄒᆞ여 왈 ᄂᆡ으 뒤을 ᄯᆞ르라 ᄒᆞ며 서리들도 수ᄌᆞᆨᄒᆞ고 모월 모일노 ᄒᆡ주로 모흐라 ᄒᆞ고 ᄒᆡ주로 먼저 들러가서 각읍 염문을 낫낫치 다ᄒᆞ고 역졸을 흔적업시 모와 남성문에

올나 암힝어ᄉᆞ 출도라 ᄒᆞ난 소ᄅᆡ 산천이 뒤눕난 덧 일성중이 진동ᄒᆞ더라 각읍 관ᄌᆞᆼ 치불치을 바루고 갓친

P.66

조인을 다 노화 보ᄂᆡ고 ᄒᆡ주 군물을 푸러 인근읍 군졸을 흡세ᄒᆞ야 ᄉᆞ천 명을 거날리고 선문 업시 발힝ᄒᆞ여 불각간ᄋᆡ 운남도로 들어가 첩첩이 싸고 우선 장수ᄇᆡᆨ과 여천추을 잡아ᄂᆡ여 쉴이고 다른 도적도 ᄎᆞᄎᆞ로 쉴인 후에 동화불을 ᄉᆞ방에 지르고 청ᄉᆞᆫ ᄆᆡᆼ호갓치 안ᄌᆞ 장수ᄇᆡᆨ을 형추할ᄉᆡ 천ᄒᆞᄃᆡ적 장수ᄇᆡᆨ아 너의 죄을 네가 아난야 또 나를 아난야 보와라 ᄒᆞ니 수ᄇᆡᆨ이 머리을 들고 보니 과연 제으 아다리라 왈 우리 아달 ᄒᆡ선아 ᄂᆡ 부모을 모로고 이러ᄒᆞ게 ᄒᆞ난야 ᄂᆡ가 무삼 죄가 이서서 ᄌᆞ식이 지 부모을 이다지 ᄒᆞ난야 어ᄉᆞ 군ᄉᆞ을 호령ᄒᆞ여 주장으로 입을 씩으라 ᄒᆞ며 이놈 장수ᄇᆡᆨ아 너난 도적질ᄒᆞ면 무엇슬 못ᄒᆞ야 ᄇᆡᆨ학ᄉᆞᆫ 동구ᄋᆡ 가서 무어슬 도적ᄒᆞ여쓰며 또 죄가 만ᄒᆞ니 ᄌᆞ서이 아ᄅᆡ라 한ᄃᆡ 수ᄇᆡᆨ이

P.67

왈 이리 이임이 발각ᄒᆞ엿쓰니 엇지 긔망ᄒᆞ리요 서역국도 남의 ᄌᆞ식을 수양ᄌᆞ 삼고 나도 ᄌᆞ식이 업서 남의 ᄌᆞ식을 수양ᄌᆞ 삼난 거시 피ᄎᆞ일반이라 또ᄒᆞᆫ ᄉᆞᆼ공을 말할진ᄃᆡ 서역국ᄋᆡ 아들될ᄉᆡ나 ᄂᆡ 아들될ᄉᆡ나 남으 ᄌᆞ식되기난 일반이라 ᄂᆡ 성명 곳친건만 허물리라 양휵지은을 ᄉᆡᆼ각한들 이다지 괄ᄉᆡᄒᆞ난야 어ᄉᆞ 또 호

령ᄒᆞ여 왈 밧비 거힝할아 ᄒᆞᆫ난 소ᄅᆡ 역졸과 무ᄉᆞ 일시에 달여들어 형추 ᄉᆞ오십 도ᄒᆞ여 ᄒᆞᆫ편 ᄊᆞᆯ이고 여천추을 잡어 들여 뇌형ᄒᆞ며 문난 말이 강능추월 옥통소을 어ᄃᆡ가 도적ᄒᆞ엿난야 ᄇᆡᆨ이든 ᄌᆡ물을 탈취ᄒᆞ미 무삼 원수로 ᄉᆞ람 좃ᄎᆞ 죽엿난야 천지 무심치 아니ᄒᆞ야 강능추월 옥통소 소ᄅᆡ로 나도 알고 모친도 ᄎᆞᄌᆞ쓰니 너의 죄을 ᄉᆡᆼ각ᄒᆞ면 살지무석이라 ᄒᆞᆫᄃᆡ

P.68

여천추 황겁ᄒᆞ여 비난 말리 용서간 ᄉᆞ정만 ᄉᆡᆼ각ᄒᆞ라 ᄒᆞ며 너난 ᄂᆡ의 사회라 나난 너의 처부모니 인정 업시 이다지 악형ᄒᆞ나야 ᄉᆞ정으로 말할진ᄃᆡᆫ 처부모도 부모라 부모이ᄌᆞ 일반이요 ᄯᅩ 이감ᄉᆞ의 ᄌᆡ물 탈취ᄒᆞᆫ 거시 무슨 계관이 이서 이리ᄒᆞ며 옥통소ᄂᆞᆫ 네가 엇지 임ᄌᆡ라 ᄒᆞ난야 본 임ᄌᆡ난 이감ᄉᆞ오 둘ᄌᆡ 임ᄌᆡ난 ᄂᆡ라 ᄯᅩ 이감ᄉᆞ 죽이기로 너의게 무삼 관게되노 ᄒᆞ니 어ᄉᆞ도 호령ᄒᆞ여 왈 ᄂᆡ가 견관업스면 이러텃 ᄒᆞ것나야 그 이감ᄉᆞᄂᆞᆫ ᄂᆡ의 부친이라 너난 ᄂᆡ의 불공ᄃᆡ천지수라 ᄒᆞ고 군ᄉᆞ을 호령ᄒᆞ여 ᄶᅵ저 죽이라 ᄒᆞ니 천추 그제야 이감ᄉᆞ 아들인 줄 알고 경황실ᄉᆡᆨᄒᆞ야 묵묵부답ᄒᆞ고 죽기만 바ᄅᆡ던니 천추의 ᄯᆞᆯ은 어ᄉᆞ의 안회라 울며 나아가 복지이결 왈 ᄉᆞ도임 어인 일리오잇가 왕ᄉᆞ을 말ᄒᆞ오면 모로

P.69

고 한 일리라 이ᄌᆡ야 듯삽고 ᄇᆡᆨ 번 ᄂᆔ웃친들 밋칠 수 업ᄉᆞ오니

즁이파의라 쳡의 압비 죽인들 셜분니 될리잇가 스도임은 귀ᄒᆞ
신 몸이나 날과 갓흔 천쳡을 ᄉᆡᆼ각ᄒᆞ와 조고만흔 연분을 ᄉᆡᆼ각하
시와 아비을 살여 주시옵소셔 ᄒᆞ며 무수히 ᄋᆡ결ᄒᆞ거날 어ᄉᆞ
왈 너 무삼 말 ᄒᆞ난다 ᄒᆞ며 군ᄉᆞ을 호령ᄒᆞ이 여러 군ᄉᆞ 일시의
달여들어 번ᄀᆡ갓치 달여들어 형즁을 ᄇᆡ락갓치 친이 천추의 ᄯᆞᆯ
일홈은 월ᄆᆡ라 방성통곡ᄒᆞ며 급히 지 아비 겻ᄐᆡ 업들여 ᄋᆡ결
왈 비나이다 비나이다 ᄉᆞ도임전 비나이다 아부 ᄃᆡ신 ᄋᆡ쳡을
죽여주시요 쳡이 비록 누천ᄒᆞ나 일시라도 ᄉᆞ도임 ᄂᆡ실지명이
잇ᄉᆞ오니 쳡의 아부 명을 구ᄌᆡᄒᆞ옵소서 아비을 구ᄌᆡ치 못ᄒᆞ면
쳡도 죽긔로 ᄆᆡᆼ심ᄒᆞ오니 ᄉᆞ도임 천만 적션 ᄒᆞ옵소

P.70

서 그러치 아이ᄒᆞ시면 무슨 면목으로 ᄉᆡ상의 이스리오 각골지
분을 ᄎᆞᆷ으시고 쳡의 아비을 ᄌᆡ발 적선 살여주시옵소서 ᄒᆞ히갓
치 표용ᄒᆞ신 마음ᄋᆡ 널니 ᄉᆡᆼ각ᄒᆞ시와 ᄒᆡ혹하시옵소서 조부모임
봉ᄌᆡᄉᆞ을 쳡의 몸으로 밧드러서 아비 죄을 속ᄒᆞ오리다 황송ᄒᆞ
온 말솜이오마난 쳡의 정성으로 천지일월계 비러 귀ᄌᆞ귀손 만
이 나아 천세만ᄉᆡ 조선향화 유전하와 아비 죄을 속ᄒᆞ올리다
ᄉᆞ도임 옥통소 아니오면 이감ᄉᆞ 아달인 줄 어이 아라 ᄎᆞ지리요
통소로 근본을 ᄎᆞᄌᆞ쓰니 원수라도 은인이라 지성으로 ᄋᆡ결ᄒᆞ니
어ᄉᆞ 왈 너 아비 천추난 죄지은 놈이라 엇지 죽지 안이ᄒᆞ리요
유혈리 만신ᄒᆞ야 삼혼칠빅이 다 흣트진다 어ᄉᆞ 추상갓치 호령
ᄒᆞ되 천추 계집 잡아ᄂᆡ야 형즁 시위ᄒᆞᄆᆡ 위염ᄋᆡ 긔절ᄒᆞ여 중난

지라 천추의 딸은 저의

P.71

부모 죽어물 보고 취양혼 눈물리 비오다시 흘으며 홀연이 통곡왈 첩의 아비 죽을 죄 잇더라도 수반위은이라 ᄒᆞ난 말리 잇ᄉᆞ오니 엇지 이다지 ᄒᆞ오릿가 국ᄉᆞᄋᆡ도 ᄉᆞ정이 잇다 ᄒᆞ고 원수ᄋᆡ도 츄ᄌᆞ이 잇다ᄒᆞ문 죄난 왕사오 정은 목전니라 너무 박절ᄒᆞ여이다 첩의 부모 죽이옵고 첩을 다시 갓가이 ᄒᆞ기 만무ᄒᆞ옵고 첩도 다시 ᄉᆞ도임을 모시긔 맛당치 못ᄒᆞ오니 혼ᄌᆞ ᄉᆞ라 무엇ᄒᆞ오릿가 슬푸다 첩의 신명 이렬 줄 아라쓰면 동방화촉 그 전날ᄋᆡ 부지럽시 연분ᄆᆡᄌᆞ ᄉᆡᆼ전 ᄉᆞ후ᄋᆡ 혼이 되단말가 첩이 일노 좃ᄎᆞ ᄌᆞ처할지라 ᄉᆞ도임은 잘되여 만ᄉᆡ무량ᄒᆞ옵소서 원수의 여식이나 불상이나 아라주시오 ᄒᆞ고 칼을 들어 ᄌᆞ결ᄒᆞ니 보난 ᄉᆞ람이 모다 츄옥히 여긔고 어ᄉᆞ도임도 중심ᄋᆡ난 조치아니너

P.72

겨지ᄂᆡ더라 호령을 엄숙하와 다른 도적을 다 절박ᄒᆞ와 다 능지처츔ᄒᆞ고 즁수빅을 다시 나입ᄒᆞ야 형즁을 시위ᄒᆞ고 단속ᄒᆞ니 수빅이 정신이 업서 복지 주 왈 그 전 지은 죄난 죽어 용납지 못ᄒᆞ련이와 외람혼 말삼 ᄒᆞ난 거슨 다만 수양ᄌᆞ 인정만 밋고 극히 아뢰오니 잠시 요ᄃᆡ치 마옵고 즉시 죽여 천ᄒᆞ 후ᄉᆡ예 경축 조심ᄒᆞ게 ᄒᆞ옵소서 어ᄉᆞ도 수빅의 지식이 넉넉ᄒᆞ물 보고 비록 도적이나 영웅이라 ᄉᆡᆼ각다가 풀어 일너 왈 너도 갓치 죽일터이

로되 다시 싱각ᄒᆞ니 너난 여천추와 갓든 원수가 아이라 네 맛참 무ᄌᆞ식흠모로 일시 욕심으로 그러ᄒᆞᆫ 듯ᄒᆞ고 ᄯᅩ 아모리 괴심ᄒᆞᆫ들 십여 연 수양ᄒᆞ던 인정이 업슬소야 글노 살여 노흐니 일후난 다시 범남ᄒᆞᆫ ᄯᅳ즐 두지 말나 ᄒᆞ고 노와 보ᄂᆡ니 장수빅이 복복비사ᄒᆞ여

P.73

축수ᄒᆞ더라 어사도 즉시 군ᄉᆞ을 모와 적굴의 보ᄂᆡ 지물을 탈취ᄒᆞ여 오니 거의 빅만 금이라 삼만 금을 갈나 수빅을 주고 왈 너 이만ᄒᆞ면 평싱의 족할 거시이 이 고ᄃᆡ 잇지 말고 히주로 가서 양민되야 ᄉᆞ라 ᄒᆞ고 나문 거슨 실고 히주로 나와 그 반을 갈나 히주 빅성을 주어 폐막을 덜게 ᄒᆞ고 그 반은 빅운암을 보ᄂᆡ야 운수당의게 특ᄉᆞᄒᆞ니라 어ᄉᆞ 그 히주감ᄉᆞ로 더부러 모친을 모시고 ᄒᆞ시기을 ᄂᆡ 성은 이로서 장가된 말이며 운남도적 즙분 ᄉᆞ기을 말ᄒᆞ고 인ᄒᆞ야 나라에 주달ᄒᆞᆫᄃᆡ 성상이 ᄃᆡ경 ᄃᆡ춘ᄒᆞ시고 이씨 유지을 쓰서되 만고 효ᄌᆞ 이운학은 황히도 어ᄉᆞ겸 강원도 어ᄉᆞ라 ᄒᆞ고 장계 비답ᄒᆞ되 강원도 민간 원부와 수령치불치을 각별 안출하라 ᄒᆞ신이 어ᄉᆞ 위의 갓초와 봉모ᄒᆞ고 강능 본가로 날여갈ᄉᆡ 유지와

P.74

천은을 축수ᄒᆞ고 비단과 표빅을 만니 부조ᄒᆞ며 전문 합계ᄒᆞ니 오만ᄉᆞ천 양이라 다 간수ᄒᆞ고 먼저 빅운암을 들어갈ᄉᆡ 어사ᄯᅩ

빅힝ᄒᆞ와 간니 인읍 수령들도 모다 빅힝한ᄃᆡ 그 위의 거록ᄒᆞ고 풍치 비할 ᄃᆡ 업더라 어ᄉᆞ 그 모친을 보고 운남도 도적 잡은 말과 장계ᄒᆞ여 황숭이 층춘ᄒᆞ던 말과 강원도 어ᄉᆞ 제수ᄒᆞ시던 말슴을 낫낫치 다 ᄒᆞ니 그 모친과 설월당과 운수당이 다 숭괴ᄒᆞ다 ᄒᆞ더라 어ᄉᆡ 면저 보닌 ᄌᆡ물을 운수당의계 정표ᄒᆞ고 또 전문 일천 양을 부ᄎᆡ임계 시주ᄒᆞ고 ᄯᅥ날ᄉᆡ 운수당을 불너 왈 우리 모친 십여 연 구ᄌᆡᄒᆞ온 은혜난 죽은들 엇지 이즈리요 인정은 무궁ᄒᆞ나 ᄯᅥ날 길리 급ᄒᆞ여 섭섭ᄒᆞ오나 철 이 밧게 이서도 잇지 말고 지ᄂᆡ라 ᄒᆞ고 또 서역국을

P.75

불너 왈 날노 ᄒᆞ여곰 중간에 심여ᄒᆞ고 고ᄉᆡᆼᄒᆞ고 삼 연 수양ᄒᆞᆫ 인정이 중ᄒᆞᆫ지라 ᄂᆡ 엇지 ᄉᆞᄉᆡᆼ간ᄂᆡ 이즈리오 또 무자식ᄒᆞ여 신ᄉᆡ 불상ᄒᆞ니 다려다가 그 은공을 갑푸리라 ᄒᆞ고 ᄒᆞᆫ가지로 치힝할 ᄉᆡ 역국이 또ᄒᆞᆫ 인정을 감축ᄒᆞ더라 난혀당과 설월당이 ᄯᅥ나기을 당ᄒᆞ야 불전의 들어가 분향빅비ᄒᆞ면 발원ᄒᆞ고 인ᄒᆞ여 운수당과 ᄌᆞᆨ별ᄒᆞᆯᄉᆡ 손을 서로 ᄌᆞᆸ고 눈물을 흘니며 왈 슬푸다 우리 팔ᄌᆞ 긔구ᄒᆞ여 만ᄉᆞ여ᄉᆡᆼ이 숭임을 만ᄂᆡ 십오 연을 동거ᄒᆞ야 질병우락을 갓치ᄒᆞ여스니 그 졍이 엇더ᄒᆞ며 그 은덕이 엇디 ᄒᆞ리요 타산니 평지되도록 엇지 이즈리요 셔로 ᄯᅥ나지 마ᄌᆞ ᄒᆞ엿더니 황천이 감동ᄒᆞ고 분처임이 지시ᄒᆞ사 이렷던 ᄌᆞ식을 만ᄂᆡ서 이별을 당ᄒᆞ

P.76

니 골수에 먹은 마음 오날이야 허스로다 ᄒᆞ고 못ᄂᆡ못ᄂᆡ ᄋᆡ연ᄒᆞ거날 운수당이 왈 초분 고ᄉᆡᆼ과 후분 영낙은 다 팔ᄌᆞ소관이라 엇지 일역로 ᄒᆞ오릿가 ᄂᆡ게와 고ᄉᆡᆼᄒᆞᆫ 거슬 ᄉᆡᆼ각ᄒᆞ면 목이 먹여 말ᄒᆞᆯ 수 업고 ᄯᅩ 왕사난 부운이라 다시 ᄉᆡᆼ각지 말으시고 인간 영낙이 목젼에 가득ᄒᆞ니 ᄎᆞ소위 고진감ᄂᆡ라 엇지 ᄒᆞᆫ탄ᄒᆞ리오 십오 연 동거ᄒᆞ문 인졍이라 ᄒᆞ면 인졍이나마은 공니라 ᄒᆞ문 불성셜리라 일시 이별지경ᄋᆡ 비감지회ᄂᆞᆫ 여ᄌᆞᄋᆡ 본ᄉᆡᆨ이라 엇지 피ᄎᆞ 다로리요 길이 밧부니 어서 ᄯᅥ나소서 ᄒᆞ고 서로 손을 이글고 동구ᄋᆡ 나와 연연이 전별ᄒᆞ니 그 경상은 ᄎᆞ마 보지 못할ᄂᆡ라 어ᄉᆞ가 감ᄉᆞ와 수영을 전별ᄒᆞ고 말을 ᄎᆡ쳐 ᄇᆡ일 발ᄒᆡᆼᄒᆞ여 여러 날만ᄋᆡ 강완

P.77

도 지경ᄋᆡ 다달나 노문을 먼져 보ᄂᆡ고 원주 감영ᄋᆡ 들어가 감ᄉᆞ을 보고 젼후 사긔을 말ᄒᆞ니 감ᄉᆞ 듯고 층ᄎᆞᆫᄒᆞ며 쳔고에 업난 일리라 ᄒᆞ며 즉시 강능관ᄋᆡ ᄉᆞ긔을 통ᄒᆞ고 모일로 삭옥봉 이감ᄉᆞ ᄯᅢᆨᄋᆡ ᄃᆡ연을 ᄇᆡ셜ᄒᆞ라 나도 그 ᄌᆞᆫ치ᄋᆡ 참예ᄒᆞ리라 본관을 먼저 셜제ᄒᆞ라 이른 일은 천고ᄋᆡ 드문 이리라 각읍 수영도 다 모히라 ᄒᆞ엿더라 엇ᄉᆞ ᄯᅩᄒᆞᆫ 본ᄃᆡᆨᄋᆡ 서간을 먼저 보ᄂᆡ고 각읍 각면에 관ᄌᆡᆨᄒᆞ여 역졸을 모와 위의을 갓초와 ᄯᅥ날ᄉᆡ 각읍 긔치와 풍악이 모이여 긔치ᄎᆞᆼ검은 일월을 히롱ᄒᆞ고 풍악소ᄅᆡᄂᆞᆫ 산천을 움제긔더라 ᄉᆞ곡봉 동구의 들어가니 본관이 먼져 와 ᄌᆞᆫᄎᆡ

연을 비셜ᄒᆞ고 근읍 수령들은 ᄉᆞ방으로 구름모이 딋ᄒᆞ야 본틱에 ᄌᆞ리보진

P.78

이며 각소 즁막이 찰난ᄒᆞ고 풍악이 진동ᄒᆞ고 좌우의 남여노소 업시 닷토와 구경ᄒᆞ더라 어ᄉᆞ 먼저 집으로 들어가 조부임전의 복지 왈 불효손 운학은 왓나이다 전일에 두 번 만ᄂᆡ도 마츔아지 못ᄒᆞ엿삽던니 오날리야 아라 뵈오니 조부모임 그 ᄉᆞ이 안령ᄒᆞ신잇가 어만임 ᄎᆞᄌᆞ 모시고 ᄒᆞᆫ가지 왓나이다 ᄒᆞ며 슬피 통곡ᄒᆞ니 조부임전의 불효막ᄃᆡᄒᆞᆫ 조부인이로소이다 환난 중에 가장을 일코 혼ᄌᆞ 와 뵈오니 더옥 불안ᄒᆞ외다 ᄒᆞ며 무수이 통곡ᄒᆞ며 궁글며 실성ᄒᆞ니 시부모도 붓들고 울며 불상ᄒᆞ다 우리 ᄌᆞ부야 나을 두고 어ᄃᆡ갓던야 나난 죽은 쥴 아라더니 그 ᄉᆞ이 무ᄉᆞ이 잇던야 삭발ᄒᆞᆫ 거슬 만지며 이거시 무삼 모양이며 츔옥ᄒᆞ다 이 모양ᄒᆞ올 적의 네

P.79

신식 가련ᄒᆞ며 너 마음 오죽하깃나야 슬푸다 우리 아들 어ᄃᆡ로 가서 ᄉᆞ라난가 죽거ᄂᆞᆫ가 어이ᄒᆞ야 만ᄂᆡ 볼고 그려나 너무 ᄉᆡᆼ각지 말고 정신을 진정ᄒᆞ여라 오날 다시 만ᄂᆡ니 오히려 다힝ᄒᆞ고 천금갓ᄒᆞᆫ 손ᄌᆞ보니 저의 아비 정영ᄒᆞ다 우리 ᄌᆞ식 다시 ᄃᆡᄒᆞᆫ 덧ᄒᆞ니 슬푼중 더구나 질겁다 쏘 성은니 망극ᄒᆞ야 귀ᄒᆞᆫ 영화가 목전의 극진ᄒᆞ니 이지 죽은들 무슴 ᄒᆞᆫ니 이스리요 쏘 설낭 불너

어로 만지며 왈 불상ᄒᆞ다 너 오즉 고싱 하엿나야 ᄉᆞ싱 동거을 지성으로 ᄒᆞᆫ가지 ᄒᆞ엿스니 긔특ᄒᆞ고 불상ᄒᆞ다 ᄒᆞ며 슬푼 눈물을 금치 못ᄒᆞ거늘 선낭이 위로 왈 이ᄌᆡ난 무삼 ᄒᆞᆫ니 이슬리오 긔리던 정회와 고싱ᄒᆞ던 말삼은 종ᄎᆞᄒᆞ련이와 목ᄒᆞ 영화을 수응하사이다 ᄒᆞ고 어ᄉᆞ로 외당의

P.80

나가 빈주지의을 ᄎᆞ리며 서로 위로ᄒᆞ며 질길ᄉᆡ 주육이 유여ᄒᆞ고 풍악이 ᄎᆞᆫ난ᄒᆞ더라 그 ᄃᆡ 감ᄉᆞ 어ᄉᆞ계 문 왈 영감ᄃᆡᆨ 강능추월 옥퉁소은 ᄉᆞ람마다 부러도 소리가 안니 난다 ᄒᆞ니 귀경ᄒᆞᄉᆞ이다 어ᄉᆞ 통소을 ᄂᆡ여 노은니 모다 보고 닷토와 부러 보거날 소ᄅᆡ 나지 안니 ᄒᆞ난지라 고히 너겨 어ᄉᆞ다려 부라ᄒᆞ이 과연 소리가 청아ᄒᆞ여 운소의 소ᄉᆞ나난지라 여러 ᄉᆞ람이 ᄯᅩ 닷토와 부러 시험ᄒᆞ되 소리업고 악공도 소ᄅᆡ 업난지라 각읍 수령이 모라 층찬 왈 암의도 이ᄉᆞᆼᄒᆞ다 천ᄉᆞᆼ 선악이요 인간의 업난 거시라 진실노 영감ᄃᆡᆨ 보ᄇᆡ로다 ᄒᆞ고 일등 명긔로 ᄒᆞ여금 거문고와 여려 가지 풍악을 버려 놋코 전후에 진동ᄒᆞ나 다 통소 소ᄅᆡ만 못ᄒᆞᆫ지라 엇지 세ᄉᆞᆼ의 이려ᄒᆞᆫ 귀경이 이스리요 삼 일 ᄃᆡ연ᄒᆞ고 파ᄒᆞᆫ

P.81

후 열읍 수령으로 의논 왈 주인ᄃᆡᆨ 이번 ᄌᆞᆫ치난 천ᄒᆞ의 드문 ᄇᆡ르 황히감ᄉᆞ 수령드리 함게 부조ᄒᆞ여 각각 물목을 적어 어ᄉᆞ

ᄀᆡ 들리니 어ᄉᆞ 왈 나을 위ᄒᆞ여 수삼 일 노ᄂᆞᆫ 것도 광ᄎᆡ 적지
안이 ᄒᆞᆫᄃᆡ ᄯᅩ 이다지 근염ᄒᆞ이 도로혀 부란ᄒᆞ여이다 보난 ᄉᆞ람
이 뉘 안이 층춘ᄒᆞ리오 감ᄉᆞ와 수령들이 ᄌᆞᆨ별ᄒᆞᆯᄉᆡ 어ᄉᆞ 왈 이번
ᄋᆡ 성상게서 어ᄉᆞ 제수 ᄒᆞ옵심은 다만 위의을 도의심이라 열읍
ᄋᆡ 엇지 순찰ᄒᆞ리요 즉시 올나가 봉명ᄒᆞ려 ᄒᆞ나이다 삼척부ᄉᆞ
왈 다른 고을은 ᄌᆡᆨ픽ᄒᆞ실지라도 삼척은 큰 사록이 이스니 급할
지라도 삼척ᄋᆡ ᄒᆡᆼᄎᆞᄒᆞ시와 결단ᄒᆞ여 주시옵소서 ᄒᆞ거날 어ᄉᆞ
그 옥ᄉᆞ을 ᄌᆞ서이 듯고 허락ᄒᆞᆫ 후ᄋᆡ 후일을 ᄀᆡ약ᄒᆞ고 급피 부모
임ᄀᆡ 서역국 다

P.82

려온 ᄉᆞ연을 설화ᄒᆞ니 그 조부모 즉시 서역국을 불너 치ᄒᆞᄒᆞ고
각별이 달니 ᄉᆡᆼ각ᄒᆞ시며 조부인도 그 고ᄉᆡᆼᄒᆞ던 말삼을 ᄒᆞ며
운남도 도적 만ᄂᆡ 가장 일코 혼ᄌᆞ 도적의계 붓들이여 갓든 말리
며 도적의 방ᄋᆡ 갓치여 설낭과 서로 ᄌᆞ결ᄒᆞ던 말이며 천불암
부ᄎᆡ임 와서 구ᄌᆡᄒᆞ던 말과 ᄌᆞᄒᆞᄃᆡᄋᆡ서 엇던 노인니 인도ᄒᆞ던
말이며 가ᄌᆞᆼ과 ᄌᆞ식 ᄉᆡᆼ각ᄒᆞ여 ᄀᆡᄉᆡᆨᄒᆞ던 말이며 ᄌᆞ식이 와서
살인 말을 난낫치 사뢴니 그 시부모임 더옥 경황실ᄉᆡᆨᄒᆞ더라
어ᄉᆞ 위로ᄒᆞ시고 셔리와 역졸과 수ᄌᆞᆨᄒᆞ고 삼척으로 나려와 출
도ᄒᆞ니 일읍 인민이 경동치 안니ᄒᆞ 리 업더라 인ᄒᆞ여 도원으로
들어가 좌ᄀᆡᄒᆞ고 본관을 본 후ᄋᆡ ᄉᆞ록 조인을 다 올리라 ᄒᆞ고
ᄉᆞ방ᄋᆡ 동화불을 지르고 죄인을 취초할ᄉᆡ

P.83

그 죄인 성명은 서운길리라 전후 ᄉᆞ긔을 다 들은 후의 또 시척 최용만을 엄형 국문ᄒᆞ고 또 죄인 증참을 명빅히 ᄉᆞ실 후의 서운길이 실노 ᄋᆡᄆᆡ한지라 최용만은 서울 ᄌᆡ상 척속으로 엄적ᄒᆞ여 살이고 서운길은 무세함으로 무죄히 죽게 도여난지라 어사 본ᄉᆞ을 명빅히 분간 후 최용만을 엄형ᄒᆞ라 ᄒᆞ고 형ᄉᆞᆫᄆᆡᆼ호갓치 호령 왈 너만ᄒᆞᆫ 놈이 무삼 ᄉᆡ로 관ᄌᆞᆼ을 히롱ᄒᆞ고 공법을 현난케 ᄒᆞ나야 ᄋᆡᄆᆡᄒᆞᆫ ᄉᆞ람을 죽이려 ᄒᆞ니 너갓ᄒᆞᆫ 놈은 죽여 법을 발우고 원통ᄒᆞᆫ 사람을 건지리라 ᄒᆞ고 형ᄌᆞᆼ 칠십 도에 다시 일너 왈 너을 죽길 거시로ᄃᆡ 십분 짐죽ᄒᆞ야 노흐니 다시난 그러ᄒᆞᆫ 우치ᄒᆞᆫ 일을 마라 하시고 또 증인을 호령ᄒᆞ여 왈 너의 등은 최용만의 세을 겹ᄒᆞ여 옥석을

P.84

가리지 못ᄒᆞ기 ᄒᆞᄂᆞᆫ야 ᄒᆞ고 각각 형ᄌᆞᆼ 삼십 도의 방송ᄒᆞ고 서운길을 불너 왈 너난 신수 불길ᄒᆞ야 공연히 ᄋᆡᆨ의 들어 죄을 당ᄒᆞ야 올케 도엿스니 불상ᄒᆞ다 ᄒᆞ고 방송ᄒᆞ니 일읍 인민니 뉘 안이 상쾨ᄒᆞ리요 운길리 빅비 축수ᄒᆞ고 물너가더라 어ᄉᆞ 밤의 본관으로 더부려 읍ᄉᆞ을 의논ᄒᆞ다가 문 왈 서운길은 엇더ᄒᆞᆫ 사람인잇가 본관 왈 서운길은 이 고을 중인으로 누만 석 거부라 어ᄉᆞ 왈 그 용모을 보니 아마도 부ᄌᆞ ᄉᆞ람이라 ᄌᆞ식은 멋치나 두엇다 ᄒᆞ던잇가 본관 왈 ᄌᆞ식은 언만 줄 모로건이와 제 옥사로 이슬씌 ᄌᆞ식 삼형ᄌᆡ들이 와 ᄋᆡ결ᄒᆞ더이다 어ᄉᆞ 왈 그러ᄒᆞ오면 ᄂᆡ

ᄒᆞᆫ갓 청이 잇노라 ᄂᆡᄀᆡ 늘근 유모 이서 일점 혈륙이 업서 즉금 한탄ᄒᆞ니 극히 불상한

P.85

지라 서운길 아달 중의 ᄒᆞ나흘 양ᄌᆞᄒᆞ여 주면 남의 적선이라 글노 부탁ᄒᆞ나이다 본관 왈 유모 ᄌᆞ식 업사오면 인정이 그려할 덧ᄒᆞ옵고 또 서운길은 엇지 ᄉᆞ양ᄒᆞ리요 죽을 목슴을 살여주어 쓰니 수화 중이라도 엇지 피ᄒᆞ리요 ᄒᆞ고 그 잇튼날 선운길을 불너 그 사긔을 설화ᄒᆞ니 운길이 다시 절ᄒᆞ고 왈 소인의 ᄌᆞ식을 어ᄉᆞ도게서 발설ᄒᆞ시니 엇지 거역ᄒᆞ오릿가 또 소인의 죽을 인명을 살여 주신니 그 ᄐᆡᆨ순갓ᄒᆞᆫ 은혜 무어스로 갑ᄉᆞ오릿가 소인니 목숨이 만일 죽어스면 여러 ᄌᆞ식인들 무엇ᄒᆞ겟삽난잇가 다만 소인 ᄌᆞ식이 불학ᄒᆞ와 출중치 못ᄒᆞ오니 모도 불너다가 ᄐᆡᆨ취ᄒᆞ옵소서 ᄒᆞ고 즉시 아달 삼형제을 불너다 현신ᄒᆞ거널 어ᄉᆞ 보니 ᄀᆡᄀᆡ 여옥

P.86

이라 운길을 불너 왈 너의 ᄌᆞ식이 모다 명민ᄒᆞ다 맛ᄌᆞ식은 임이 성취ᄒᆞ엿고 ᄎᆞᄌᆞ난 아즉 성취ᄒᆞ지 아이 ᄒᆞ엿스니 글노 즉정ᄒᆞ라 ᄒᆞ시고 ᄂᆡ의 질리 급ᄒᆞ니 불가불 이번의 다리고 가것다 즉시 치힝ᄒᆞ라 ᄒᆞ시니 그 둘ᄌᆡ 아달 일홈은 봉술이라 불너 왈 너 양가의 가서 양부모을 지성으로 섬긔면 ᄌᆞ연 ᄌᆞᆼᄂᆡ가 이스리라 ᄒᆞᆫᄃᆡ 그 세간을 갈나 줄ᄉᆡ 전답 오십 석 문서와 전문 만 양을

실여 압서우고 운길리 봉술을 다리고 ᄯᅥ날ᄉᆡ 그 나문 ᄌᆞ식이 함긔 ᄯᅡ라오더라 어ᄉᆞ 본관과 ᄌᆞᆨ별ᄒᆞ고 봉수을 다리고 도라와 서역국을 불너 양ᄌᆞᄒᆞᆫ 말을 ᄒᆞ니 역국이 ᄯᅩ 축수ᄒᆞ며 운길노 상면ᄒᆞ고 봉술의 손을 ᄌᆞᆸ고 머리을 어로만지며 탄식 왈 ᄂᆡ 너와 갓튼 ᄌᆞ식이 잇거던 엇지 혈

P.87

육이 이스리요 이ᄌᆡ 너을 보니 한니 업고 죽은들 무슨 한이 이스리요 여러 날 질긔미 충양업더라 운길은 수삼일 ᄌᆞᆫ치ᄒᆞ고 노다가 역국다려 일너 왈 ᄂᆡ ᄌᆞ식이 아즉 미거ᄒᆞ니 잘 가르치며 긔출갓치 지르옵고 ᄂᆡ 가저온 거시 수소ᄒᆞ오나 우선 쓰옵소서 ᄒᆞ고 ᄌᆞᆨ별ᄒᆞ고 ᄯᅥ날ᄉᆡ 어ᄉᆞ ᄯᆡᆨ이 들어와 ᄒᆞ즉ᄒᆞ고 갈ᄉᆡ 서역국 부처도 못ᄂᆡ못ᄂᆡ 작별ᄒᆞ더라 어ᄉᆞ 역국을 불너 왈 이ᄌᆡ 공을 만분지일리나 갑고저 ᄒᆞ다가 ᄌᆞ식을 어든니 만분다힝하나 ᄂᆡ 업슬지라도 ᄂᆡ 집 볌ᄉᆞ을 간수ᄒᆞ여라 ᄒᆞ고 모친과 조부모게 ᄒᆞ즉ᄒᆞ고 고 왈 이ᄌᆡ난 봉명ᄒᆞ기 급ᄒᆞ오니 지체치 못ᄒᆞ와 ᄯᅥ나 오니 엄만임게셔 ᄂᆡ 업다고 서러말으시고 부모을 정성으로 섬 긔옵소서 ᄒᆞ고

P.88

길을 ᄯᅥ나 경성ᄋᆡ 올나 봉명ᄒᆞ이 상이 질긔ᄉᆞ 즉품을 도도와 쓰신 후 ᄯᅩ 중원ᄋᆡ ᄉᆞ신을 보닐터이오나 제신중ᄋᆡ 보님 즉ᄒᆞᆫ 신ᄒᆞ 업서 근심ᄒᆞ다가 운학을 불너 보고 왈 경의 충성이 족히

중국 ᄉᆞ신을 당함 직ᄒᆞᆫ지라 특별이 ᄐᆡᆨ송ᄒᆞ나니 경의 소견ᄋᆡ 엇더ᄒᆞᆫ요 운학이 돈수 쥬 왈 신지어전ᄒᆞᄋᆡ 군신이오니 무삼 ᄒᆞ교ᄒᆞ시오면 비록 수화 중인들 엇지 피하오릿가 상이 층찬 왈 가위 효ᄌᆞ오 충신이로다 주석지신이 어ᄃᆡ 이슬리오 ᄒᆞ며 즉시 치힝ᄒᆞ여 주시더라 운학이 복지 주 왈 신니 말이 타국ᄋᆡ 써나오니 근친하옵고 가난 거시 올흘가 ᄒᆞ나이다 쏘ᄒᆞᆫ 긔절ᄒᆞᆫ 사정이 잇나이다 신의 모친은 중국 여남 ᄯᅡᆼ 소주 조상서의 역식 이라 신이 이번ᄋᆡ 들어가오면 외

P.89

가ᄋᆡ ᄎᆞᄌᆞ가 뵈옵고 ᄎᆞᄌᆞ 갈진ᄃᆡᆫ 못친 서간을 바다가지고 가ᄂᆞᆫ 거시 맛당ᄒᆞ여이다 상이 경탄 왈 히ᄒᆞᆫᄒᆞᆫ 일리로다 중국 조상서 의 �임이 엿지 경으 모친이 도연난고 ᄒᆞ시거날 운학이 전후사 연을 ᄌᆞ서이 주달ᄒᆞ니 상이 층찬 왈 이 일이 족히 고담삼아 들음 직ᄒᆞ다 ᄒᆞ고 이번 길ᄋᆡ 국ᄉᆞ도 관중할 분더러 경의 ᄉᆞ정이 더옥 긔절ᄒᆞ다 ᄒᆞ고 수유을 주시거날 운학이 급히 속장ᄒᆞ여 집으로 도라와 모친게 아뢰니 조부인이 추연 탄 왈 ᄂᆡ 부모을 이별ᄒᆞᆫ 지 ᄌᆞᆼ찻 수십 연이라 ᄉᆞᄉᆡᆼ존망을 피ᄎᆞ 아지 못ᄒᆞ고 철천 지원이 골수ᄋᆡ ᄆᆡ처스니 일신들 이지리오 국은 망극ᄒᆞ와 널노 ᄒᆞ여곰 중국 ᄉᆞ신을 보ᄂᆡ이 부모의 존망 안부을 ᄌᆞ연이 알거시 니 깁부고 반갑기 그지 업스나 너 아즉

P.90

석디치 못ᄒᆞ야 말이타국예 엇지 왕환할고 놀닌 간장이오 썩은 심곡이라 놀납지 안이ᄒᆞ며 어렵지 안이 ᄒᆞ리요 ᄒᆞ고 슬픈 눈물을 무수이 흘니며 일편심곡을 갈나닉야 만지장서을 써 봉ᄒᆞ고 집을 써날 ᄯᅴ 비단 저골리 ᄲᅩᆺ니라 ᄒᆞ고 봉히주면 왈 우리 집을 ᄎᆞ자가서 조상서을 보고 이 편지을 들리고 외손이라 ᄒᆞ고 엇지 의심이 업스리요 만일 고지듯지 안이ᄒᆞ시거던 이 저고리을 안으로 들어보닉고 우리 붓친이 날을 ᄉᆞ랑ᄒᆞ야 일월금픽와 성신주픽와 금봉치 옥지환 은ᄌᆞᆼ도을 주면 왈 이거슬 단단이 간수ᄒᆞ여닷가 성인ᄒᆞᆫ 후 은장도는 어진 가ᄌᆞᆼ을 주라 ᄒᆞ시긔예 옥함의 너허 거처ᄒᆞ던 부용당 쇠ᄎᆞᆼ문 밧 삼층계 섬돌 알ᄋᆡ 뭇엇슨니 그난 아모도 모르난 거시라 필

P.91

연 지금가지 이슬 거신이 녜 ᄌᆞ서이 말ᄒᆞ라 ᄯᅩ 닉 눈으로 보난 다시 ᄎᆞᄌᆞ보라 슬푸다 우리 부모 닉 말솜 물으시거던 너ᄋᆡ 소견 딕로 말ᄒᆞ여라 닉 목이 믹히 말을 ᄌᆞ서이 못할다 ᄒᆞ고 넉시 업시 안ᄌᆞ거널 운학이 급히 위로 왈 어만임이 글어ᄒᆞ시기가 고이치 아이ᄒᆞ련이와 말이 밧계 가난 날을 ᄉᆡᆼ각지 아이ᄒᆞ시고 마음을 상우시난잇가 진정ᄒᆞ시옵소서 왕명이 급ᄒᆞ시오니 지체치 못할 노소이다 ᄒᆞ고 조부모 전ᄋᆡ ᄒᆞ직ᄒᆞ고 ᄯᅩ 어만임을 위로 왈 평안니 계시와 조부모임 봉양을 잘 하시기을 천만바릭나이다 ᄒᆞ고 급히 말을 ᄌᆡ촉ᄒᆞ와 가더라 수일만ᄋᆡ 경성ᄋᆡ 득달ᄒᆞ여

봉명ᄒᆞ고 그 잇튼날 ᄯᅥ나 여러 날만ᄋᆡ 의주ᄋᆡ 숙소ᄒᆞ고 압녹

P.92

강을 건ᄂᆡ 명산ᄃᆡ천을 귀경ᄒᆞ고 들어가나 황화옥절은 말이ᄋᆡ 빗나더라 춘풍강 추월영을 가난 길ᄋᆡ ᄎᆞ제로 귀경ᄒᆞ고 조ᄌᆞᆨᄉᆞᆫ 봉황성은 말니ᄋᆡ 경처로다 역노ᄋᆡ 화청청ᄒᆞ니 물ᄉᆡᆨ도 아람답다 그렁저렁 황성ᄋᆡ 득달ᄒᆞ니 중화 물ᄉᆡᆨ이 모다 장관니레라 예단을 갓초와 천ᄌᆞᄀᆡ 들어가 보오니 천ᄌᆞ 동국 사긔을 ᄌᆞ서이 문답후 ᄉᆞ신다려 문 왈 경ᄋᆡ 성명은 옥절보첩ᄋᆡ 보와스나 용모가 긔묘ᄒᆞ니 나흔 언마나 ᄒᆞᆫ야 운학이 주 왈 신의 나흔 십칠 세로소이다 ᄯᅩ 소국ᄋᆡ ᄉᆡᆼᄌᆞᆼ하와 아모 것도 지식이 업시 중임을 당ᄒᆞ여 ᄃᆡ국ᄋᆡ 의지ᄒᆞ여 각항 예절을 모로오니 복원 ᄑᆡᄒᆞ난 무지무례ᄒᆞᆫ 거슬 십분 용서ᄒᆞ시옵소서 천ᄌᆞ 가라ᄉᆞᄃᆡ 이십 전 소연니 일즉

P.93

청운ᄋᆡ 올나 황화옥절노 말이 탁국ᄋᆡ 들어와 저다지 귀특ᄒᆞ니 진지충신니요 ᄎᆞ인ᄌᆡ로다 예절과 ᄌᆡ질리 출등치 안니ᄒᆞ며 엇지 타국ᄋᆡ 들어오리요 짐이 열국 ᄉᆞ신을 만이 보와쓰나 경갓ᄒᆞ니난 처음이라 무삼 실예가 니스리요 짐이 근심ᄒᆞ난 일리 인노라 서번이 반하야 이미 팔십 이 지경ᄋᆡ 범ᄒᆞ엿스니 ᄯᅩ ᄑᆡ문이 왓스나 여간 ᄌᆞᆼ졸을 모와쓰되 경갓ᄒᆞᆫ 인ᄌᆡ난 보지 못하엿스니 엇지 다ᄒᆡᆼ치 안이ᄒᆞ리요 경은 일시 수고을 앗기지 말고 짐의

근심을 덜ᄀᆡ ᄒᆞ라 ᄒᆞ시거날 운학이 복지 주 왈 소신이 연천ᄒᆞ와
지모 장약이 업습고 군법ᄋᆡ 능히 못ᄒᆞ오니 엇지 외람이 ᄃᆡ임을
당ᄒᆞ오릿가 천ᄌᆞ 왈 경의 ᄌᆡ조난 짐이 임이 짐작ᄒᆞ나니 너무
겸ᄉᆞ 말나 짐이 오날날 경을 만ᄂᆡ기난 ᄒᆞ

P.94

날리 지시ᄒᆞᆫ ᄇᆡ라 경도 잇ᄯᆡ을 당ᄒᆞ야 ᄌᆡ조을 한 번 시험ᄒᆞ여
말이 전ᄌᆞᆼᄋᆡ 나아가 공명을 일우어 죽ᄇᆡᆨᄋᆡ 빗난 일홈을 천추ᄋᆡ
유전ᄒᆞ면 그 아니 조흘손가 ᄒᆞ시며 친히 ᄌᆞᆫ을 잡아 술을 권ᄒᆞ거
날 운학이 다시 술ᄌᆞᆫ을 바드며 ᄌᆡᄇᆡᄒᆞ고 왈 ᄑᆡᄒᆞᄀᆡ옵서 신의
용열ᄒᆞ물 모르시고 이다지 말삼ᄒᆞ시니 신니 엇지 수화 중인들
피ᄒᆞ오리요 ᄒᆞ니 천ᄌᆞ 깃겨ᄒᆞᄉᆞ 병볍을 의논ᄒᆞ시더라 이적의
이공이 자ᄀᆡ산 도ᄉᆞ로 더우러 세월을 보ᄂᆡ더니 일일은 도ᄉᆞ
병서을 ᄂᆡ여주며 왈 공부하라 ᄒᆞ고 ᄯᅩᄒᆞᆫ 칼을 주며 왈 남아
세상ᄋᆡ 처ᄒᆞ야 이거슬 착실리 공부ᄒᆞ면 장ᄂᆡ 쓸 ᄃᆡ 이스리라
ᄒᆞ고 주거날 이공이 칼을 바다 가지고 나지면 병서을 공부ᄒᆞ고
밤이면 칼쓰기을 공부ᄒᆞ여 세월을 보ᄂᆡ더라 ᄯᅩ

P.95

육도삼약과 천문지리을 갈라치니 무불통지ᄒᆞ야 모를 거시 업더
라 ᄒᆞ로난 도ᄉᆡ 왈 그ᄃᆡ 공부을 착실ᄒᆞ고 ᄌᆡ조 무던ᄒᆞ니 이
심산공곡ᄋᆡ 못처이서 세월을 허도ᄒᆞ리요 금ᄋᆡ ᄃᆡ국ᄋᆡ 병난이
이서 방ᄌᆞᆼ 영웅을 구ᄒᆞ이 세상ᄋᆡ 나가서 ᄌᆡ조을 시험ᄒᆞ고 일홈

을 일우어 공명을 서우면 즈연 고국으로 도라가기 쉬울 덧ᄒᆞ다 이직 천문이 열이여쓰니 어서 급히 힝중을 차려 황성으로 가라 ᄒᆞ고 괴장을 열고 갑주을 ᄂᆡ여주거날 이공이 왈 선ᄉᆡᆼ 슬ᄒᆞᄋᆡ 평ᄉᆡᆼ을 모시려 ᄒᆞ여던이 이직 선ᄉᆡᆼ 명영을 듯ᄉᆞ오니 엇지 슬푸지 아이ᄒᆞ오릿가 도ᄉᆞ 왈 그ᄃᆡ 인정은 그러할 덧ᄒᆞ나 나도 이곳 ᄉᆞ람이 안이라 그ᄃᆡ을 위ᄒᆞ여 이적지 인난 터이라 이직는 이별을 당ᄒᆞ엿스니 존호을 가르치옵소서

P.96

도ᄉᆞ 왈 봉ᄂᆡ 방장 영주산ᄋᆡ 잇난 ᄉᆞ람이오 별호난 ᄇᆡᆨ운선ᄉᆡᆼ이라 ᄒᆞ나 그ᄃᆡ도 갈 길리 급ᄒᆞ고 나도 갈 길리 급ᄒᆞ니 부ᄃᆡ 나가 ᄃᆡ공을 일우고 고국ᄋᆡ 편이 도라가라 ᄒᆞ고 공중으로 소사 구름을 타고 가거날 이공이 망연ᄒᆞ여 공중을 향ᄒᆞ여 ᄌᆡᄇᆡ 왈 선ᄉᆡᆼ을 다시 모시긔 어려오니 평안이 가시옵소서 ᄒᆞ고 추연이 슬품을 먹음고 갑주와 보검을 간수ᄒᆞ여 가지고 힝장을 ᄎᆞ려 써날ᄉᆡ 홀연 천지 즈옥ᄒᆞ며 풍우ᄃᆡ작ᄒᆞ여 슨악이 짓치거날 경황ᄒᆞ여 ᄂᆡ다보니 오ᄉᆡᆨ 용초마가 구룸을 헛치고 나려오거날 마암ᄋᆡ 반기ᄒᆞ여 쏫ᄎᆞ가 외여 왈 용총마야 이리오라 너의 임ᄌᆞ 예 잇노라 ᄒᆞ니 그 용총말리 듯고 오며 주홍갓ᄒᆞᆫ 입을 열고 소ᄅᆡ을 지르며 이공을 반긔난 덧 ᄒᆞ거날 이공이 달여들어 ᄶᅡ기을 어루만지며 경기ᄒᆞ

P.97

니 그 말리 반겨ᄒᆞ난 덧ᄒᆞ더라 이공이 갑주을 갓초오고 용문검 을 ᄇᆡ계 들고 마ᄉᆞᆼᄋᆡ 놉피 안ᄌᆞ ᄎᆡ을 처 황성으로 향ᄒᆞ니 말은 번ᄀᆡ갓고 ᄉᆞ람은 비조갓ᄒᆞ여 만리 강ᄉᆞᆫ이 눈압ᄑᆡ 그름자 갓더 라 가다가 날리 저물ᄆᆡ ᄉᆞ관ᄋᆡ 들어가 ᄌᆞ고 잇튼날 도화촌ᄋᆡ 들어가 밤을 지ᄂᆡᆯᄉᆡ ᄀᆡᆨ창고등ᄋᆡ 인적이 적적ᄒᆞᆫᄃᆡ 홀연 남천으 로 엇던 일원소ᄌᆞᆼ이 황금투고ᄋᆡ ᄇᆡᆨ표운갑을 입고 칠척창검 들 고 ᄌᆞ류말을 모라 나난다시 들어와 말을 전수ᄋᆡ ᄆᆡ고 누각ᄋᆡ 올나가 읍ᄒᆞ고 문 왈 ᄌᆞᆼ군니 ᄌᆞᄀᆡ산 잇던 이ᄌᆞᆼ군 안니시니가 이공 왈 나난 과연 그러ᄒᆞ건이와 ᄌᆞᆼ군은 어ᄃᆡ 기신잇가 최공 왈 나난 과연 초날아 죽긔춘 ᄉᆞ난 최ᄌᆞᆼ이로소이다 ᄒᆞ며 편지를 주거날 써여보니 봉ᄂᆡᄉᆞᆫ ᄇᆡᆨ운선

P.98

ᄉᆡᆼ의 편지라 그 편지ᄋᆡ ᄒᆞ엿쓰되 낙화전ᄋᆡ 유ᄒᆞ던 이ᄌᆞᆼ군 이별 한 후 무량ᄒᆞ시잇가 초남 ᄉᆞ난 최ᄌᆞᆼ은 과연 남ᄌᆞ아니라 이전 병부시랑 최공의 여식으로 용모난 절ᄃᆡ가인니오 ᄌᆞᆼ약은 이전 항우을 겸ᄒᆞ고 검술은 진지 장군ᄋᆡ 짝이라 장군과 조고만ᄒᆞᆫ 전ᄉᆡᆼ연분니 이서 지시ᄒᆞ니 오날밤 낙화정ᄋᆡ 연분을 허도마라 ᄒᆞ고 ᄯᅩ 엄적ᄒᆞ고 전ᄌᆞᆼᄋᆡ 갓치 가서 성공ᄒᆞ고 고국으로 한가지 도라가라 ᄒᆞ엿더라 이공이 그 편지를 다 본 후ᄋᆡ 최장다려 문 왈 편지 ᄉᆞ연니 분명ᄒᆞ니 무삼 의혹 이스리오 최ᄌᆞᆼ 왈 첩의 긔품이 과연 남과 달나 외람이 ᄌᆞᆼ부의 공명을 일우고저ᄒᆞ와

약간 공부ᄒᆞ엿더이 다ᄒᆡᆼ이 전ᄉᆡᆼ연분니 장군과 이서 왓ᄉᆞ오나 첩의 부모난 모로고 다른 ᄃᆡ 성혼ᄒᆞ엿

P.99

다가 연분니 안니기로 천날밤ᄋᆡ 상부ᄒᆞ고 독수공방 홀노 잇삽다가 일전ᄋᆡ ᄌᆞᄀᆡᄉᆞᆫ 도ᄉᆞ와서 ᄒᆞ난 말리 그ᄃᆡ 연분이 잇난 ᄉᆞ람이 나와 함ᄀᆡ 잇다가 이별한 후 모월 모일 낙화정ᄋᆡ 잘거시니 부ᄃᆡ 그날 어긔지 말나 ᄒᆞ고 편지을 주오ᄆᆡ 첩이 임이 쓸ᄃᆡ 업난 몸이 도야쓰니 첩과 연분 인난 ᄉᆞ람이라 ᄒᆞ오ᄆᆡ 보고저운 마음도 잇ᄉᆞᆸ고 짐죽ᄒᆞ난 도리도 이서 왓나이다 이공이 왈 ᄉᆞ긔 그려ᄒᆞ오니 무슨 말삼 이스리요 ᄒᆞ고 여복을 입고 갑주을 벗고 안즈니 용모난 옥을 ᄶᅡ근덧 ᄒᆞ고 연연ᄒᆞᆫ ᄐᆡ도난 ᄉᆞ람ᄋᆡ 정신을 일ᄏᆡ ᄒᆞ더라 이공이 탐탐ᄒᆞᆫ 정을 이긔지 못ᄒᆞ여 나소와 안ᄌᆞ 히롱 왈 황금갑주ᄃᆡ장군 어ᄃᆡ 가고 절ᄃᆡ가인 이 ᄉᆞ람이 ᄂᆡ 압ᄒᆡ 안ᄌᆞ난야 남ᄌᆞ런가 여

P.100

ᄌᆞ런가 장부간ᄌᆞᆼ 다 녹인다 분명ᄒᆞᆫ 여ᄌᆞ라 ᄒᆞ고 왈 연긔ᄂᆞᆫ 상적지 아니ᄒᆞ나 ᄌᆡ긔난 가ᄌᆞᆼ 상적ᄒᆞ니 진실노 ᄇᆡ필이라 ᄒᆞ고 손을 서로 잇글고 침석ᄋᆡ 들어가 동침ᄒᆞ니 외인이야 엇지 아리요 그 잇튼날 보난 ᄉᆞ람이 어ᄃᆡ서 저다지 묘한 장군이 완난고 ᄒᆞ며 모다 층찬ᄒᆞ더라 두 장수 갑주을 단속ᄒᆞ고 마상ᄋᆡ 놉피 안자 ᄌᆡ비갓치 ᄯᅥ나니 멀고 먼 황성이 지척ᄋᆡ 닷치더라 ᄉᆞ시말 오시

초의 궐문밧긔 다달나 납명ᄒᆞ고 들어가서 천ᄌᆞ계 뵈온ᄃᆡ 천ᄌᆞ
반겨 왈 장군들을 보오니 엇지 질겁지 아니ᄒᆞ리요 ᄒᆞ거날 이공
이 주 왈 소장은 여남 자긔촌 ᄉᆞ난 이춘ᄇᆡᆨ이옵더니 국가의 일이
잇다ᄒᆞ오ᄆᆡ 신이 ᄌᆡ조난 용열ᄒᆞ오나 군신지도리의 엇지 안ᄌᆞ
보오릿가 불원천이 ᄒᆞ고 왓나이다 ᄯᅩ 최

P.101

장이 주 왈 소ᄌᆞᆼ은 초남 ᄉᆞ난 최양호옵더니 듯ᄉᆞ오니 서번이
범남ᄒᆞᆫ ᄯᅳ즐 멱고 황성을 침범한다 ᄒᆞ옵긔의 소ᄌᆞᆼ이 비록 ᄌᆡ조
업ᄉᆞ오나 분ᄒᆞᆫ 마음을 이긔지 못ᄒᆞ오ᄆᆡ 한번 전장의 나와 ᄌᆡ조
을 시험ᄒᆞ옵고 ᄑᆡᄒᆞ의 근심을 덜고저 ᄒᆞ와 불원철이 ᄒᆞ옵고
완나이다 천ᄌᆞ 만만 깃거ᄒᆞ시고 친히 술을 부어 권하시며 제장
을 불너 모다 인사할ᄉᆡ 이춘ᄇᆡᆨ이 동국 ᄉᆞ신 이운학이란 말을
듯고 마음의 반가ᄒᆞ여 고국 소식을 뭇고저 ᄒᆞ나 아즉 초면이오
존전니라 뭇지 못ᄒᆞ나 중심의만 치부ᄒᆞ고 운학은 여남 이춘ᄇᆡᆨ
을 보ᄆᆡ 저의 부친과 동성명이라 성명만 갓ᄒᆞ여도 마음이 ᄌᆞ연
반갑ᄒᆞ다 그러나 여남의 잇다 ᄒᆞ니 외가 소식이나 뭇고저 ᄒᆞ야
더옥 반가ᄒᆞ더라 천ᄌᆞ

P.102

각초 소임을 정할ᄉᆡ 운학으로 ᄃᆡ원수을 봉ᄒᆞ시고 절월의 써스
되 ᄃᆡ국ᄃᆡ원수 ᄃᆡᄉᆞ마 대장군 동국충신 이운학이라 써거날 이
춘ᄇᆡᆨ은 병마도총 부원수 검 좌익장이라 써걸고 최양호난 병마

도총 겸 우익장 촉국충신 최양호라 싸서 걸고 그 남문 장수난 각각 과임을 정ᄒᆞᆫ 후 이원수 장ᄃᆡᄋᆡ 놉피 안ᄌᆞ 제장을 불너 의논 왈 제장은 각각 군ᄉᆞ을 항오예 여허 약속을 단단ᄒᆞ야 명일노 발힝ᄒᆞ리라 ᄒᆞ고 천ᄌᆞ게 주 왈 ᄑᆡᄒᆞᄂᆞᆫ 조고만ᄒᆞᆫ 서변을 근심치 마르소서 명일노 장ᄎᆞ 힝할터이로소이다 오날 ᄃᆡ연을 ᄇᆡ설ᄒᆞ와 ᄑᆡᄒᆞ의 절긔물 도오리이다 그 다음예ᄂᆞᆫ 제장과 군졸의 마음을 히락히 ᄒᆞ여이다 천ᄌᆞ 또ᄒᆞᆫ 올히 너기ᄉᆞ 제신을 명ᄒᆞᄉᆞ ᄃᆡ연을 ᄇᆡ셜

P.103

ᄒᆞ고 주육을 싸어 놋고 풍악을 ᄇᆡ셜ᄒᆞ니 쳔ᄌᆞ 왈 군중은 단문장군영이요 불문천ᄌᆞ죄라 ᄒᆞ니 오날 잔최의 ᄃᆡ원수의 영을 좃차 각각 ᄌᆡ조을 히롱ᄒᆞ라 제장이 모다 ᄇᆡ은 ᄌᆡ조을 시험ᄒᆞᆯᄉᆡ 혹 노ᄅᆡ도 ᄒᆞ며 혹 비파도 타며 혹 거문고도 타며 좌중 풍물이 할난할 적ᄋᆡ 이춘ᄇᆡᆨ이 최장과 마조 이러나 춤츄며 주져ᄒᆞ니 풍운조화 칼긋ᄐᆡ 어리어 ᄉᆞ람의 눈을 황홀ᄒᆞ게 ᄒᆞ난지라 좌우 제장 군졸리 모다 정신을 일고 구경ᄒᆞ더라 원수 왈 진중풍약이 모다 속ᄃᆡ도다 ᄂᆡᄋᆡ 통소 곡조을 들어바라 ᄒᆞ고 소ᄆᆡ로써 옥소을 ᄂᆡ여 제왕ᄐᆡ평지악과 영웅득실지곡을 부니 쳔ᄌᆞ 들으시고 어인 곡조야 세상예 듯지 못ᄒᆞ고 처음 듯난 ᄇᆡ라 하시고 친니 통소을 불여보

P.104

니 소릭 안니 나는지라 즉히 고히ᄒ다 ᄒ시고 만조졔신을 주어 불어보라 ᄒ신되 모다 불어도 소릭안이 나거날 춘빅 바다 부니 이난 곳 강능추월 옥통소라 놀니 퉁소을 보니 눈물이 ᄌ연 흘너 옷기실 적시는지라 넉시 업시 안ᄌ다가 원수 아픽 나아가 괴좌 ᄒ여 문 왈 원수게옵셔 동국 사신이라 ᄒ옵신이 동국 어난 곳딕 ᄉ르시며 누 집 후손이며 이 통소 어딕가 어더난잇가 원수 왈 장군은 동국 일을 말삼ᄒ면 엇지 알덧ᄒ와 문는잇가 춘빅 왈 원수는 동국 산다ᄒ온이 문는이다 원수 왈 소장은 동국 강원도 강능쌍 이감ᄉ ᄌ제옵고 이 퉁소난 소장의 집 세전지물리라 그려무로 ᄉ신 올딕 간수ᄒ여 왓나이다 춘빅이 더옥 실ᄉᆡᆨ 문 왈 그려ᄒ면 원수의 부친이 사라

P.105

난잇가 원수 왈 소장이 죄악이 지중ᄒ야 부친을 여히엿ᄉ오니 안면을 모로난이다 춘빅이 왈 퉁소는 원수예 집 ᄉᆡ젼지물리라 ᄒ니 강능 이감ᄉ는 ᄌ식 업는 사람니라 천만 가지 ᄉᆡᆼ각ᄒ여도 알 수 업도다 원수 왈 중국예서 엇지 강능 이감ᄉ을 안나잇가 그제야 춘빅이 그ᄉ이 말을 알고 ᄭᆡ달나 만가지로 ᄉᆡᆼ각하며 왈 처음 안면예 말ᄒ기 눈처ᄒ오나 용서ᄒ여 주시오니 말을 조졍예서 황송ᄒ오니 졉어 들어소서 원수게옵서도 놀니지 말오 소서 ᄒ고 ᄌ서이 물으되 원수계옵서 이감ᄉ 자제시면 유복자 아니시며 원수 모친은 조부인이신잇가 장군계옵서 중국ᄉ람으

로 소장의 집일을 ᄌᆞ서이 아르신잇가 소장은 과연 유복ᄌᆞ옵고 외가ᄂᆞᆫ

P.106

여남 조상서 ᄃᆡᆨ이로소이다 장군계서 ᄌᆞ서이 아르시니 장군은 본ᄃᆡ 여남ᄉᆞ람니 안이신잇가 춘ᄇᆡᆨ이 그졔야 ᄌᆞ식이 젹실ᄒᆞᆫ 주로 알고 ᄌᆞ서이 말ᄒᆞ여라 슬품을 진졍치 못ᄒᆞ고 눈물을 먹음고 ᄒᆞ난 말이 귀신니나 아지 ᄉᆞ람은 아지 못할다 ᄂᆡ 과연 삭옥봉 이감ᄉᆞ 춘ᄇᆡᆨ이라 조부인을 다리고 황히도 감ᄉᆞ 갓다가 회귀ᄒᆞ난 길예 도적을 만ᄂᆡ 춤혹ᄒᆞᆫ 환을 당ᄒᆞ야 졍영 죽은 줄 아라더니 긋ᄃᆡ 잉틔 칠 삭이라 엇지 ᄉᆞ라 너을 나흔난야 ᄂᆡ가 과연 너예 부친이라 ᄒᆞ고 달여들어 방셩통곡ᄒᆞ니 원수도 그제야 부친인 줄 알고 업디저 울며 왈 불초ᄌᆞ 운학이 아비을 몰나 보와ᄂᆞᆫ니다 아반임 기체알영ᄒᆞ시니 만만다힝ᄒᆞ외다 슬푸다 무삼 일노 중국예 들여와 고향예 도라

P.107

가지 안니ᄒᆞ신잇가 우라 조부임을 말니 밧기 모서 두옵고 이다지 고상ᄒᆞ시난잇가 슬푸다 강능추월 곳 안일너든 오날날 만ᄂᆡ서도 어이 아라을릿가 ᄒᆞ며 서로 븟들고 궁글며 우니 졔장 군졸이 모다 보니 셰상예 억식ᄒᆞᆫ 일리라 ᄒᆞ며 ᄎᆞ탄ᄒᆞ더라 천ᄌᆞ 친니 술잔을 들어 권ᄒᆞ여 위로 왈 ᄌᆞᆼ군 등 부ᄌᆞ 상봉은 고금천지예 엄난 일리라 엇지 슬푸지 안이ᄒᆞ며 놀납지 아니ᄒᆞ리요 부ᄌᆞ

일윤은 하라리 아는 빅라 하나리 아니면 엇지 오날날 만닉리요 그러ᄒᆞ나 국지딕ᄉᆞ 만분위급ᄒᆞ니 마음을 너무 상우지 말고 술 푸고 긔리던 정화는 종촌ᄒᆞ고 이 술을 바다 마시고 진정ᄒᆞ라 ᄒᆞ시거날 원수 황명지ᄒᆞ예 강작히 진정ᄒᆞ고 그 부친을 위로한 후예 천ᄌᆞ 젼예 복지 왈 소장이 전싱 죄악이

P.108

지중ᄒᆞ여 아비을 이럿다가 말이 타국의 와 픽하 덕틱으로 오날 날 ᄎᆞᄌᆞ삽고 또 처음 만닌 ᄌᆞ리의 슬푸고 반갑ᄉᆞ와 다만 부ᄌᆞ간 정의만 싱각ᄒᆞ고 천ᄌᆞ 존전의 망픽 무리한 거동을 ᄒᆞ엿ᄉᆞ오니 복원 황숭은 십분 짐작ᄒᆞ시와 죄을 용서ᄒᆞ옵소서 천ᄌᆞ 층촌불 이 ᄒᆞ고 손을 잡고 왈 증군은 하나리 아난 충신효ᄌᆞ로다 장군의 충효곳 아니면 엇지 이 곳딕 와 만닉리요 ᄒᆞ며 빅 가지로 위로ᄒᆞ 더라 춘빅이 주 왈 소장이 동국 사람으로 여남 ᄉᆞᆫ다 ᄒᆞ여스니 긔국망상지죄을 용서ᄒᆞ옵소서 또 오날날 ᄌᆞ식을 만닉기난 픽ᄒᆞ 의 덕틱이라 소증이 다 전후ᄉᆞ긔을 다 알외올리라 그 통소은 과연 천숭 선관의게 어든 거시옵고 히상풍파 만닉 옥문동이라 ᄒᆞ난 고딕 가서 조부인

P.109

을 만닉삽고 히주로 도라오난 길의 도적을 만닉 조부인과 퉁소 을 이럿던니 엇지하야 자식의 손의 올 줄 아오며 오날 그 퉁소로 ᄒᆞ여곰 부ᄌᆞ상봉할 줄 어이 아리오 또 원수을 불너 옥소어든

ᄉᆞ연을 낫낫치 들으시옵소서 ᄒᆞ니 졔신 졔장이 모다 ᄎᆞ탄ᄒᆞ여 서로 닷토여 옥소을 다시 귀경 ᄒᆞ더라 천ᄌᆞ 다시 춘ᄇᆡᆨ을 불너 부던 퉁소을 부라 ᄒᆞ시니 춘ᄇᆡᆨ이 옥소을 잡아 청아이 부니 그 부ᄌᆞ간 부난 소ᄅᆡ 조금도 다름이 업더라 아니 오날리 저물거날 각각 ᄒᆡ처ᄋᆡ 나와 쉴ᄉᆡ 춘ᄇᆡᆨ은 그 아달과 최장으로 더부려 ᄒᆞᆫ가지로 쉴ᄉᆡ 이윽ᄒᆞ여 인적은 고요ᄒᆞ고 야ᄉᆡᆨ은 심심ᄒᆞᆫᄃᆡ 춘ᄇᆡᆨ이 왈 다르 니 모로거니와 우리 ᄉᆡ ᄉᆞ람이야 모로이요 과연 저 최장은 여ᄌᆞ라 ᄒᆞ고 전후ᄉᆞ연

P.110

을 ᄌᆞ서이 설화ᄒᆞ니 원수 ᄯᅩᄒᆞᆫ 길거 왈 아반임은 말이타국ᄋᆡ 오ᄅᆡ 고ᄉᆡᆼᄒᆞ시다가 외롭지 안이 하실거시오 ᄯᅩᄒᆞᆫ 전ᄌᆞᆼᄋᆡ 나와도 의지 이서 서로 조력ᄒᆞ실 거신니 오죽 조흘잇가 연분은 일ᄎᆡ라 조고만도 서오니 마시옵소서 ᄒᆞ더라 그 잇튼날 천ᄌᆞ전ᄋᆡ 들어가 주 왈 소장으 소임이 아부 우ᄋᆡ 잇ᄉᆞ오니 소ᄌᆞᆼ의 ᄃᆡ장을 다르 니게옵게 주시옵소서 천ᄌᆞ 왈 그럴 덧ᄒᆞ다 ᄒᆞ고 소임을 밧고와 절월을 곳처쓰되 중국 ᄃᆡ원수ᄃᆡᄌᆞᆼ군은 이춘ᄇᆡᆨ이라 ᄒᆞ고 ᄯᅩ 병마도총부원수 좌익장은 조선국 충신 이운학이라 쓰거늘 춘ᄇᆡᆨ이 들어가 ᄃᆡ원수 절월을 무류와 장ᄃᆡ에 놉피 안ᄌᆞ 장졸을 단속ᄒᆞ여 그 익일ᄋᆡ 써날ᄉᆡ 전문 밧기 격서을 올이거늘 천ᄌᆞ 경황망조히 너겨 ᄌᆡ촉ᄒᆞ거날 명ᄌᆞᆼ 칠십여 인

P.111

이오 정병 사만이요 흡ᄒᆞ니 오쳔여 명이라 창섬은 일월을 히롱ᄒᆞ고 함셩은 산쳔을 움지기며 과우 고을 넘어 너른 덜의 진을 치고 졉젼ᄒᆞᆯᄉᆡ 적진장 강ᄇᆡᆨ이 나와 ᄌᆡ조을 비양ᄒᆞ고 황절 황경을 버혀거날 좌익ᄌᆞᆼ 운학이 ᄂᆡ달나 위여 왈 적장 강ᄇᆡᆨ아 널노 더불여 검술을 닷토리요 마상 안ᄌᆞ 옥소을 부니 그 쳥아ᄒᆞᆫ 곡조 솔의 운간의 얼이여 사람마음 감동계 ᄒᆞ난지라 적진 장졸리 모다 놀ᄂᆡ 왈 초ᄒᆞᆫ 적 장ᄌᆞ방은 쥭은 지 오리거덧 계명산 통소 솔의 어이 들이ᄂᆞᆫ고 ᄒᆞ며 강ᄇᆡᆨ은 듯다가 넉슬 일려 무심히 셧고 젹ᄌᆞᆼ 삼 인이 졍신 업시 듯거날 운학이 틈을 타셔 사ᄌᆞᆼ을 ᄒᆞᆫ 칼의 벼혀 들고 ᄯᅩ 굴돌의 진을 엄살ᄒᆞ고 돌라오니 이ᄂᆞᆫ ᄇᆡᆨ운

P.112

암 노승이 음조함일너라 잇튼날 번왕이 후봉ᄌᆞᆼ으로 허여곰 출젼ᄒᆞ라 ᄒᆞ니 항만적은 초남 장종이오 항우의 후손이라 음아질타지성의 쳔 인이 자픠ᄒᆞ난 ᄌᆡ라 운학이 응셩출마하여 항만적을 ᄃᆡ적할ᄉᆡ 최창이 바ᄅᆡ보니 이난 곳 초남 항만적이라 소ᄅᆡ을 노피 질너 불르고 ᄯᅩ 원수을 급히 불너 잠시 진정ᄒᆞ라 ᄒᆞ고 다라가서 만적을 불너 보라 ᄒᆞ니 만적이 최장이 소ᄅᆡ을 듯고 답히여 왈 최양호야 나을 살니라 ᄒᆞ거날 최ᄌᆞᆼ이 원수ᄀᆡ 고 왈 항만적은 곳 소장의 외삼촌이라 ᄒᆞ고 버금 만적의 손을 잡고 왈 그ᄃᆡ 엇지 ᄀᆡ갓ᄒᆞᆫ 번왕의게 장수되얏노 만적이 왈 초면괄시난 장수의 상ᄉᆞ라 ᄒᆞ고 다시 문왈 츔 진정으로 자서이 말ᄒᆞ라

ᄒᆞ니 만적이 왈 소장이 최장으로 동문학병서ᄒᆞ다가 최장의

P.113

간 고즐 아지 못ᄒᆞ엿던이 오날 진중의 만낫이 가위 초한시절의 ᄒᆞᆫ신 핑월 갓도다 처음은 초국 장ᄉᆞ로 다시 ᄒᆞᆫ국의 가서 성공ᄒᆞ엿스니 영웅호걸이 오고가는 거슨 병가상ᄉᆞ라 조곰만한 험의로 최장을 괄시하리요 ᄒᆞ니 그ᄌᆡ야 원수와 운학과 최장이 동심협역ᄒᆞ와 승전할 약속을 정ᄒᆞ더라 적진장 번평이 나와 ᄌᆡ조을 ᄌᆞ랑ᄒᆞ며 횡횡ᄒᆞ거날 원수 ᄇᆡᆨ운선ᄉᆡᆼ의 도술노 그물망 ᄌᆞ을 써서 ᄉᆞ방의 ᄲᅧᆫ진니 적진 장졸이 모다 용납지 못ᄒᆞᆫ 덧ᄒᆞ더라 원수 그ᄌᆡ야 ᄒᆞᆫ 칼노 다 뭇지르고 승ᄉᆡᆨ을 ᄌᆞ랑ᄒᆞ니 번왕이 그 분흠을 이긔지 못ᄒᆞ와 이날밤의 불노 칠 묘게을 준비ᄒᆞ더라 원수 그 계교을 미리 알고 즉시 그 아달 운학으로 퉁소을 부니 최장이 적만을 보고 왈 천긔을 보오니 화성이 우리 진중의 빈추이 급피 마오소서 ᄒᆞ

P.114

거날 최장이 항장으로 더부러 원수계 고ᄒᆞ니라 번국 복병이 둘너싸고 장수난 둔갑ᄒᆞ고 짓처 오거날 운학이 비신상마ᄒᆞ야 ᄎᆞᆼ검을 들고 우ᄅᆡ갓치 소ᄅᆡᄒᆞ며 좌충우돌ᄒᆞ니 번국 장졸리 추풍낙엽이라 번진 장졸리 물갓치 ᄒᆡ여지난ᄃᆡ 우ᄅᆡ갓ᄒᆞᆫ 소ᄅᆡ의 장졸이 귀막혀 수족을 놀이지 못ᄒᆞ고 서로 발핑 죽난 ᄌᆡ 부지긔수라 피흘러 성천된ᄃᆡ 만군을 엄살ᄒᆞ니 제장 군졸이 모다 치ᄒᆞ

분분ᄒᆞ더라 그 익일ᄋᆡ 적장 오월ᄇᆡᆨ이 나와 외여 왈 어린 운학아
어서 나와 ᄂᆡ 칼을 바드라 오날은 너을 버혀 어ᄌᆡ 원수을 갑푸리
라 ᄒᆞ난 소ᄅᆡ 벽역 갓ᄒᆞ거날 만적이 왈 이 장수난 ᄂᆡ가 가서
ᄃᆡ적ᄒᆞ오라다 ᄒᆞ고 출전할ᄉᆡ 보문검을 들고 달여드니 오월ᄇᆡᆨ이
멀니 바ᄅᆡ보니 이난 곳 항만적이라 감ᄌᆞᆨ 놀ᄂᆡ고 의심ᄒᆞ여

P.115

왈 이 귀신인가 귀신이라도 나을 바리고 엇지 적진ᄋᆡ 왓나요
항만적이 ᄃᆡ 왈 ᄂᆡ 엇지 허수이 죽의리요 너의 번왕이 영웅을
몰ᄂᆡ보긔로 나도 ᄒᆞᆫ신갓치 ᄃᆡ국을 섬기노라 ᄒᆞ고 두 장수 접전
ᄒᆞ니 그 ᄌᆡ조 신출귀몰ᄒᆞ여 엇지 되난 줄 모로더니 이윽ᄒᆞ며
ᄒᆞᆫ 장수 머리 ᄯᅥ러지거날 모다 보니 곳 오월ᄇᆡᆨ의 머리라 항장이
칼 ᄭᅳᆺᄐᆡ ᄭᅱ여 들고 도라오니 모다 층찬ᄒᆞ더라 그 잇튼날 적장
ᄑᆡ운만이 나오니 이 장수난 천ᄒᆞ영웅이라 원수 나가려ᄒᆞ거날
운학이 부친을 위ᄒᆞ여 ᄃᆡ신 나가 ᄃᆡ적할ᄉᆡ 최장이 ᄯᅡ라오다가
적장 만여ᄀᆡ 더부러 싸와 승부 위ᄐᆡ할 지음ᄋᆡ 항장이 보고 크ᄀᆡ
놀ᄂᆡ ᄌᆞ셔이 보니 과연 적ᄌᆞᆼ은 아이요 운학이라 운학과 최ᄌᆞᆼ이
합역ᄒᆞ여 칠ᄉᆡ 양ᄌᆞᆼ의 칼니 변득ᄒᆞ면 운만의 머리 마ᄒᆞᄋᆡ ᄯᅥ러
지ᄂᆞᆫ지

P.116

라 그 나문 장수은 츄풍낙엽갓더라 번왕이 상혼실ᄇᆡᆨᄒᆞ야 ᄯᅡ에
ᄯᅥ러지거날 ᄉᆡᆼ금결박ᄒᆞ야 압셔우고 본진ᄋᆡ 돌라오니 셔로 승젼

고을 울이고 쳡셔을 싸가 쳔ᄌᆞ계 올여 보ᄂᆡ고 번왕을 잡아 가져
간이라 잇ᄯᅢ 쳔ᄌᆞ 승젼 쳡셔을 보시고 만조졔신을 거나리고
남문 밧계 나와 마질ᄉᆡ 원수와 운학과 최ᄌᆞᆼ을 치하ᄒᆞ며 황만젹
을 보시고 문 왈 져 장군은 뉜요 최ᄌᆞᆼ 왈 이 장군은 초남 ᄉᆞ난
항만젹이로소이다 소ᄌᆞᆼ과 외ᄉᆞ촌이옵고 장약은 쳔ᄒᆞᆫ 명ᄌᆞᆼ이라
맛참 왓기로 ᄒᆞᆫ가지 셩공ᄒᆞ여나이다 쳔ᄌᆞ 층찬ᄒᆞ사 찰리조졔ᄌᆞᆼ
오공을 봉훌ᄉᆡ 승젼곡이며 파병악을 질주ᄒᆞ니 그 솔ᄅᆡ 진동ᄒᆞ
더라 쳔ᄌᆞ 환궁ᄒᆞ사 츌

P.117

전 졔장을 ᄎᆞᄅᆡ로 봉작할ᄉᆡ 각각 즉품을 도도오더라 각셜 쳔ᄌᆞ
계 츈ᄇᆡᆨ이 쥬 왈 병ᄂᆞᆫ을 임이 파ᄒᆞ엿ᄉᆞ오니 신으 ᄉᆞ졍이 ᄯᅩ
잇나니다 여ᄂᆞᆷ 조상셔ᄂᆞᆫ 신으 빙부오니 ᄎᆞ자감이 느졋ᄂᆞᆫ지라
ᄒᆞᆫᄃᆡ 쳔ᄌᆞ 층찬 왈 인졍이 그러ᄒᆞ니 짐도 경을 위ᄒᆞ야 교셔를
보ᄂᆡ리라 ᄒᆞ시고 교셔를 봉ᄒᆞ야 쥬시고 위의를 갓초와 치힝ᄒᆞ
야 보ᄂᆡ니라 츈ᄇᆡᆨ이 그 아달과 쵀장과 ᄒᆞᆫ가지 여ᄂᆞᆷ으로 션문
놋코 죠상셔 ᄃᆡᆨ을 ᄎᆞ자가니 죠상셔 그 션문을 보고 반겨 왈
이별이 ᄒᆡ로 되니 그 사이 어ᄃᆡ가 계시다가 이다지 귀히 되엿나
닛가 니상셔 왈 타국ᄋᆡ 노ᄂᆞᆫ 힝ᄉᆡᆨ이 ᄌᆞ연 어ᄃᆡ가 지체 못ᄒᆞ오릿
가 쳔만의외에 쳔은을 입ᄉᆞ와 이갓치 되엿스나 연젼ᄋᆡ 상셔ᄃᆡᆨ
을 ᄎᆞ자옴은 다름아니라 옹셔간 의가 잇ᄉᆞᆸ기로 왓

P.118

다가 쵸면이라 미안ᄒᆞ야 아모 말도 못ᄒᆞ고 갓ᄉᆞᆸ더니 쳔만의외에 ᄌᆞ식이 ᄉᆞ신으로 들어와 제 모친 편지와 표적을 가지고 왓ᄉᆞᆸ기예 이제 와 셜화ᄒᆞ나니다 조상셔 왈 옹셔지의라 말은 만무ᄒᆞ외다 상셔으 ᄒᆞᆸ부인이 조씨오닛가 셜영 조씨라도 비부으 ᄯᆞᆯ은 아니라 비부 즁년ᄋᆡ 녀식 ᄒᆞ나 이셔 ᄇᆡ마강 화젼노림 갓다가 표풍을 만ᄂᆡ ᄒᆡ즁으로 들어갓스니 분명 죽은지라 셰상ᄋᆡ 이어인 말이며 ᄯᅩ 신적이 잇다 ᄒᆞ니 무어신지 보ᄉᆞ이다 ᄒᆞ고 면면이 인ᄉᆞ할 ᄉᆡ 져ᄂᆞᆫ 뉘시닛가 상셔 왈 이ᄂᆞᆫ ᄂᆡ으 ᄌᆞ식이오 져ᄂᆞᆫ 병부상셔 최공이라 마ᄎᆞᆷ 친의 ᄌᆞ별ᄒᆞ야 왓나니다 ᄒᆞ고 쳔ᄌᆞ 교셔와 조부인 셔간을 젼ᄒᆞ니 상셔 바다가지고 ᄂᆡ당에 들어가니 조상셔 부인 양씨 그 말을 듯고 즉시 편지를 ᄯᅴ여 보니 ᄒᆞ엿

P.119

스되 불초 여식 ᄎᆡ란은 두 번 절ᄒᆞ옵고 알외오니 슬푸다 여식으 팔ᄌᆞ 기험ᄒᆞ와 부모님 슬ᄒᆞ를 ᄯᅥ나 만리 타국ᄋᆡ 와 잇ᄂᆞᆫ 한이로다 화젼노림 ᄒᆞᆫ이로다 원슈로다 ᄇᆡ마강이 원슈로다 쳣바람이 원슈로다 만경창파 ᄯᅥ나갈세 부모님이 알으신가 쳔번 만번 죽을 ᄋᆡᆨ을 부모님 알으신가 죽ᄌᆞᄒᆞ니 원통ᄒᆞ고 ᄉᆞᄌᆞᄒᆞ니 아득ᄒᆞ다 슬푸다 이ᄂᆡ 몸이 고기밥이 되다말가 슬푸다 셜낭이 어이ᄒᆞ야 ᄉᆞ자말고 옥문동ᄋᆡ 들어가셔 니공ᄌᆞ를 만ᄂᆡ오니 참괴ᄒᆞᆯᄉᆞ 부모님은 알으신가 씩이신가 ᄒᆞᆫ심ᄒᆞ고 가련토다 살아도 불효인명이오 죽어도 불효귀신이라 어ᄂᆡᆫ 셰상 용납할고 긔험할ᄉᆞ 이

ᄂᆡ 팔ᄌᆞ 셜상ᄋᆡ 가상이오 ᄎᆞᆷ혹ᄒᆞ기 그지 업다 ᄒᆡ쥬로 도라올
졔 가장을 일엇스니 신명인가 운ᄋᆡᆨ인가 삭

P.120

발위승이 우원일고 이 멸이 짝글 적ᄋᆡ 부모님 알으시면 그 심ᄉᆞ
엇더할고 슬푸다 칠 ᄉᆡᆨ 유복ᄌᆞ를 셰 살 먹어 일엇다가 ᄒᆞ날님
덕ᄐᆡᆨ으로 십오 셰에 다시 만ᄂᆡ니 다ᄒᆡᆼ이 져ᄂᆞᆫ ᄃᆡ탈 업시 조히
이셔ᄉᆞ오나 기러워라 기러워라 부모님아 언ᄌᆡ나 다시 볼고 다
정ᄒᆞ온 부모면목 눈ᄋᆡ ᄉᆞᆷᄉᆞᆷ 보고지고 간절ᄒᆞᆫ 부모말ᄉᆞᆷ 귀ᄋᆡ
ᄌᆡᆼᄌᆡᆼ 듯고져라 무정ᄒᆞᆫ 져 달빗흔 ᄂᆡ계와 빈츄거던 이ᄂᆡ 기별
젼ᄒᆡ쥬소 무정ᄒᆞᆫ 져 기럭이 셜월누 지ᄂᆡ거던 이ᄂᆡ 소식 젼ᄒᆡ쥬
소 슬푸다 부모님아 ᄋᆡ즁ᄒᆞᆫ ᄯᆞᆯ을 일코 ᄉᆞ렴이 오직ᄒᆞ오릿가
일신들 이즐쇼냐 이ᄂᆡ 간장 ᄊᆡᆨ어나 ᄂᆡ 살드리도 보고져라 슬푸
다 ᄂᆡ 몸으로 못 가보고 아달이나 보ᄂᆡ오니 날 본다시 보옵소셔
이ᄂᆡ 고ᄉᆡᆼᄒᆞ던 일을 ᄌᆞ셰이 들으쇼셔 붓을 ᄌᆞᆸ아 쓰ᄌᆞᄒᆞ니 눈물
이라 즁치가

P.121

절노 막혀 만분지일이나 ᄃᆡ강 긔록ᄒᆞ여 알외나니다 슬푸다 부
모님아 날갓ᄒᆞᆫ ᄯᆞᆯ ᄌᆞ식을 쥭은 쥴노 치부ᄒᆞ고 ᄉᆡᆼ각지 말으시면
긔체를 보즁ᄒᆞ와 만슈무강ᄒᆞ옵소셔 ᄒᆞ엿더라 조상셔와 양부인
이 편지를 틀어잡고 울며 왈 무상ᄒᆞ고 불상ᄒᆞ다 졔오 졍신을
진졍ᄒᆞ야 ᄒᆞᄂᆞᆫ 말이 글시가 분명ᄒᆞ고 일홈도 분명ᄒᆞ고 ᄉᆞ기ᄉᆞ

도 적실ᄒᆞ다 이졔야 무ᄉᆞᆷ 의심 이스리요 그러나 ᄯᅩ 표젹이 잇다
ᄒᆞ니 ᄎᆞ자보ᄉᆞ이다 외당ᄋᆡ 나가 표젹 보기를 쳥ᄒᆞ니 운학이
표젹 봉셔를 드리고 ᄯᅩ 엿ᄌᆞ오ᄃᆡ ᄡᅥ날 졔 어만임 ᄒᆞᄂᆞᆫ 말이
은봉ᄎᆡ 금봉ᄎᆡ와 옥지환 은장도 등물을 부용당 셔창문 밧ᄀᆡ
셕흠을 뭇고 셕흠 안ᄋᆡ 옥함 넛코 옥함 안ᄋᆡ 담아 무덧스니
그ᄂᆞᆫ 아모도 몰은 거시라 지금ᄭᆞ지 이슬 거

P.122

시니 부ᄃᆡ 자셰이 ᄎᆞ지라 ᄒᆞ더니다 조상셔 표젹을 가지고 ᄂᆡ당
ᄋᆡ 드러가 보니 그시 입고간 져고리라 양부인 슈품이 적실ᄒᆞ고
ᄯᅩ 부용당 셔ᄎᆞᆼ문 밧ᄀᆡ 셕흠을 파ᄂᆡ니 과연 말과 갓더라 그졔야
니상셔를 불너 들어갈ᄉᆡ 부ᄌᆞ 함ᄀᆡ 들어가 인ᄉᆞ할 ᄉᆞ이 업시
셔로 틀어 안고 ᄃᆡ셩통곡 왈 슬푸다 ᄉᆞ회야 불상ᄒᆞᆫ ᄯᆞᆯ을 어이ᄒᆞ
야 만ᄂᆡᆺ던고 니ᄉᆡᆼ은 무ᄉᆞᆷ 슈ᄋᆡᆨ으로 타국ᄋᆡ 들어와 고ᄉᆡᆼᄒᆞᄂᆞᆫ고
버금 운학으 손을 ᄌᆞᆸ고 왈 슬푸다 운학아 불상타 너으 엄이
무량이 잘 잇ᄂᆞᆫ야 아득하고 망극ᄒᆞ다 너으 부ᄌᆞ 이에 올 쥴
어이 알이요 쳔금 빠고 만금 빠다 너 갓ᄒᆞᆫ ᄌᆞ식으로 만리타국
보ᄂᆡᆯ 적ᄋᆡ 불상ᄒᆞ다 너으 엄이 심장이 오직ᄒᆞ랴 석은 간장 엇지
이즈리요 졍녕이 죽은 쥴 이적지 알앗더

P.123

니 표젹이 업스면 우리 밋지 아니리라 ᄒᆞ며 무슈이 통곡ᄒᆞ니
그 거동 ᄎᆞᆷ아 보지 못 할ᄂᆡ라 니상셔 눈물을 거두고 위로 왈

빙모님 진졍ᄒᆞ옵소셔 인졍이 무궁ᄒᆞ고 비회가 그지 업ᄉᆞ오나 그쳐름 상심마옵소셔 조상셔와 양부인이 그 ᄯᅡᆯ 본 거 갓치 못ᄂᆡ 못ᄂᆡ ᄒᆞ더라 여러날 유ᄒᆞ다가 ᄯᅥ나기를 (당ᄒᆞᆷ이 조상셔와 양부인이 니공부ᄌᆞ 손을 잡고 왈 우리 소회를) ᄉᆡᆼ각ᄒᆞ여 보소 엇지 훌훌이 보닐 마음이 이스리요마는 임이 만ᄂᆡᆺ스니 급히 도라가 너으 엄이 다시 만ᄂᆡ면 그 마음 엇더타 할고 나도 ᄎᆞᆷ아 만류치 못ᄒᆞ노라 언지나 다시 볼고 우리 늘근 거시 산들 얼마나 살이요 살아도 ᄉᆡᆼ각 밧기오 죽어도 못 볼 거시라 슬푸다 다시 보기 어렵도다 쵸면으로 만ᄂᆡᆺ다가 만닌 ᄌᆞ식 이별ᄒᆞ니 이별이 영결이라 우리 모양 기

P.124

레다가 우리 ᄯᅡᆯ으계 젼ᄒᆞ여라 편지 써 봉ᄒᆞ고 금봉치와 옥환장도 여러 가지와 일월금픽와 셩신쥬픽를 ᄒᆞᆫ 틔 봉ᄒᆞ야 쥬며 왈 이는 져으 이즁ᄒᆞ던 빅라 가져다 쥬어라 져으 저고리는 닋계 두고 져 본다시 보리라 ᄒᆞ고 이별할ᄉᆡ 니공이 쳔ᄌᆞ 쥬시던 황금과 비단으로 빙부모계 졍표ᄒᆞ니 조상셔 양부인이 ᄯᅩᄒᆞᆫ 즁국보화로 만이 졍표ᄒᆞ거날 니공이 이연ᄒᆞᆫ 마음을 익이지 못ᄒᆞ야 ᄒᆞ직ᄒᆞ고 ᄯᅥ나니 조상셔와 양부인이 그 ᄯᅡᆯ을 ᄉᆡ로 일은 것 갓더라 니공 부ᄌᆞ 최상셔로 더부러 황셩에 득달ᄒᆞ야 쳔ᄌᆞ계 뵈온듸 상이 ᄎᆞ탄 왈 운혹을 듸ᄒᆞ니 이세상의 경갓ᄒᆞᆫ ᄉᆞ름이 어듸 이스리요 황하만리에 일엇던 부친을 찻고 ᄯᅩ 억만군즁의 들어가 듸공을 일외고 외

P.125

가를 ᄎᆞ자가 모친으 기별을 젼ᄒᆞ얏스니 경으 ᄉᆞ업은 여쳔여극 이라 ᄒᆞ시니 운학이 쥬왈 신이 고국을 써ᄂᆞᆫ지 오ᄅᆡ옵고 조부모 뵈옵기 급ᄒᆞ오니 신으 마음의 ᄒᆞᆫ이 되나니다 ᄒᆞ고 쳔ᄌᆞ계 ᄒᆞ직 ᄒᆞ고 졔신을 이별ᄒᆞ니 모다 ᄋᆡ연히 너기더라 황셩을 써나 조션 지경 다달나 압녹강을 건ᄂᆡ 의쥬와 슉소ᄒᆞ고 션문을 먼져 씌우 고 ᄇᆡ일 발힝ᄒᆞ야 경셩ᄋᆡ 올나가 셩상계 뵈오니 상이 가라ᄉᆞᄃᆡ 만리타국ᄋᆡ 가셔 무ᄉᆞ이 도라오니 치ᄒᆞᄒᆞ노라 ᄒᆞ시고 츈ᄇᆡᆨ으 손을 잡고 왈 히ᄒᆞᆫᄒᆞᆫ 일이로다 경은 어ᄃᆡ 잇다가 오ᄂᆞᆫ가 경영 쥭은가 ᄒᆞ얏더니 다시 보니 깃부고 다힝하기 그지 업다 운학은 과연 츙효겸젼이로다 ᄒᆞ시고 최양호를 가르쳐 문 왈 져ᄂᆞᆫ 뉘냐 이공이 왈

P.126

그ᄂᆞᆫ 초국 최시랑의 아달 양호로소이다 상이 왈 초국 ᄉᆞ람이 엇지 만ᄂᆡᆺ스며 엇지 ᄒᆞᆫ가지 오ᄂᆞᆫ고 니공 왈 최양호ᄂᆞᆫ 만고명장 이라 쳐음 만ᄂᆡ던 ᄉᆞ연과 운학 만ᄂᆡ던 ᄉᆞ연과 ᄃᆡ국승젼ᄒᆞ던 ᄉᆞ연을 낫낫치 알외니 상이 드러시고 무슈이 층찬ᄒᆞ시더라 슈 일 잔치ᄒᆞ시고 니운학으로 부마를 봉ᄒᆞ시고 최양호ᄂᆞᆫ 우의졍으 사회를 졍ᄒᆞ라 ᄒᆞ시니 최양호 쥬 왈 소장이 남ᄌᆞ 갓흐면 조흘려 니와 녀ᄌᆞ로셔 엇지 녀ᄌᆞ으계 장ᄀᆡ를 가오릿가 니상셔 쥬왈 외람ᄒᆞ오나 그ᄂᆞᆫ 조고만ᄒᆞᆫ 연분이 잇기로 결연이 되얏나니다 상이 층찬ᄒᆞ시고 니공으로 본국 영의졍을 ᄒᆞ이시고 조부인으로

좌부인을 졍ᄒᆞ이시고 최부인으로 우부인을 졍ᄒᆞ시고 운학으로 판셔를 ᄒᆞ이시고 혼인

P.127

거조를 찰일ᄉᆡ 궐ᄂᆡ이셔 셩예ᄒᆞ니 그 위의 거록ᄒᆞ더라 슈일 후의 우상셔 집을 지어 니공으 집을 졍ᄒᆞ고 가산 등물을 모다 나라에셔 장만ᄒᆞ야 쥬시더라 니공이 최부인을 다려다가 집의 두고 즉시 궐ᄂᆡ에 들어가 그 젼후ᄉᆞ를 알외니 상이 허락ᄒᆞ시고 치힝ᄒᆞ여 쥬시거날 니공과 운학이 ᄒᆞ직ᄒᆞ고 급히 ᄲᅥ나 강능의 득달ᄒᆞ야 들어가니 니감ᄉᆞᄃᆡᆨ의 각읍 슈령이 모다 ᄃᆡ연을 ᄇᆡ셜ᄒᆞ고 기다리더라 운학이 먼져 조부모와 조부인계 문후ᄒᆞ고 울며 왈 아반님이 이졔 슬ᄒᆞ의 오나니다 ᄒᆞ며 어만님아 아반님이 이졔 오시나니다 ᄒᆞ니 반갑ᄒᆞ고 슬푼 경지에 엇지 우름이 아니 나리요 집안이 경동할 지음의 니공이 좃ᄎᆞ 들어와 부모젼의 업더져 울며 왈 불

P.128

초ᄌᆞ 츈ᄇᆡᆨ이 왓나니다 부모님 긔체안령ᄒᆞ시닛가 슬푸다 부모님은 츈ᄇᆡᆨ이 ᄒᆞ나만 밋고 잇다가 ᄌᆞ최 업시 일은 후에 비회를 엇지 진졍ᄒᆞ신잇가 ᄌᆞ식이 무상ᄒᆞ야 부모님 진졍을 모르옵고 만리타국의 유리ᄒᆞ얏ᄉᆞ오니 죄ᄉᆞ무셕이로소이다 ᄒᆞ고 슬피 통곡ᄒᆞ니 그 부모 아달으 손을 잡고 왈 슬푸다 츈ᄇᆡᆨ아 우지 말고 진졍ᄒᆞ여라 너 보니 반갑고 슬푸도다 츈ᄇᆡᆨ아 졍영 쥭은 쥴 알앗

더니 엇지 살아 올 쥴 아리요 지악히도 보고십고 야속히도 보고
졉더라 이졔 너를 다시 만ᄂᆡᆺ스니 오날 쥭은들 무ᄉᆞᆷ 한이 이스리
요 불상ᄒᆞ다 너으 안히 만리풍파ᄋᆡ 너를 일코 속졀 업시 쥭을
목ᄉᆞᆷ 창송호졉으로 지ᄂᆡ더니 슬푸다 너으 안히 거동 다시 보니
목이 ᄌᆞᆷ겨 우럼소ᄅᆡ ᄌᆞᄌᆞ지며 조부인을 도라보니 조

P.129

부인은 아모 말도 못ᄒᆞ고 묵묵히 셧다가 눈물만 흘니거날 더옥
ᄎᆞᆷ혹히 너겨 조부인을 잡고 왈 슬푸다 부인은 엇지 ᄒᆞ야 살앗ᄂᆞᆫ
고 그 ᄉᆞ이 엇지 지ᄂᆡᆫᄂᆞᆫ고 ᄂᆡ 살아왓스니 이졔야 무ᄉᆞᆷ 염여ᄒᆞ리
요 슈ᄋᆡᆨ이 험ᄒᆞ야 환란즁ᄋᆡ 이별ᄒᆞ고 이ᄂᆡ 인졍 ᄆᆡ물ᄒᆞ야 부인
을 ᄎᆞᄌᆞ가지 아니ᄒᆞ고 슬푸다 ᄂᆡ 종적이 엇지타 만리타국 들어
갓더니 강능츄월 옥통소로 부ᄌᆞ상봉ᄒᆞ엿구나 그러치 아니ᄒᆞ엿
던덜 엇지 오날날 만ᄂᆡ리요 ᄒᆞ며 긔운이 시진ᄒᆞ야 우지 못ᄒᆞ고
눈물만 흘니거날 조부인이 슈건을 드러 니공으 눈물을 싹그며
왈 상공은 진정ᄒᆞ옵소셔 그리던 심회를 ᄇᆡᆨ 년 울며 쳔 년 울면
다ᄒᆞ계ᄂᆞᆫ가 첩도 갓치 우자ᄒᆞ면 상공맛치 눈물도 잇고 슬푼
마음도 잇ᄉᆞ오나 상공으

P.130

상ᄒᆞᆫ 심장 더옥 상할가 ᄒᆞ야 억지로 ᄎᆞᆷ으오니 슬푸ᄃᆞ 상공은
ᄂᆡ 속 썩ᄂᆞᆫ 쥴 아나닛가 그말져말 다 바리고 만ᄂᆡ기 만쳔힝이라
눈물을 거두시고 부모님을 위로ᄒᆞ시고 ᄯᅩ 외당에 존빈귀ᄀᆡᆨ이

만이 왓ᄉᆞ오니 그리던 비회를 좀ᄎᆞ 말슴ᄒᆞ고 나가 졉빈ᄒᆞ옵소셔 ᄒᆞ고 이공이 나간 후ᄋᆡ 운학을 불너 왈 너으 외가를 ᄎᆞ자보니 조부모 긔체안령ᄒᆞ시더냐 너ᄂᆞᆫ 외가ᄋᆡ ᄎᆞ자가 보왓스니무슨 여ᄒᆞᆫ 이슬야 ᄒᆞ고 편지를 ᄯᅦ여 보니 ᄒᆞ엿스되 슬푸다 ᄂᆡᄯᆞᆯ ᄎᆡ란아 잘 잇나냐 네 어이 우리를 바리고 만리타국ᄋᆡ 갓ᄂᆞᆫ야구럼ᄋᆡ ᄲᆞ이여 갓ᄂᆞᆫ야 바람ᄋᆡ 붓치여 갓ᄂᆞᆫ야 ᄒᆞ날이 보ᄂᆡ더냐귀신이 다려가던야 불상ᄒᆞ다 ᄎᆡ란아 우리 둘이 너를 나ᄒᆞ 길너ᄂᆡ야 천금갓치 ᄉᆡᆼ각ᄒᆞ고 쥬옥갓치 ᄉᆞ랑하

P.131

야 ᄌᆞᄅᆡᄂᆞᆫ 후 영화를 보렷더니 슬푸다 너으 신명 그리 될 쥴어이 아리 풍파만ᄂᆡ ᄯᅥ나갈 졔 놀ᄂᆡ지도 아니힛나 불상ᄒᆞ다셜낭아 ᄒᆞᆫ가지로 엇지 갓노 도적 만ᄂᆡ 환란즁ᄋᆡ 어이ᄒᆞ야 살앗ᄂᆞᆫ고 슬푸다 너으 신셰 삭발위승 우원 일고 고ᄉᆡᆼ이 무궁ᄒᆞ니너으 심장 오작할가 긔특ᄒᆞ다 셜낭아 불상ᄒᆞ다 셜낭아 ᄂᆡ으ᄯᆞᆯ이 가장 일코 너 아니면 어이 진졍할고 만고풍상 여러 ᄒᆡ지ᄂᆡᆺ스니 그 형상 오직ᄒᆞ겟ᄂᆞᆫ야 슬푸다 ᄎᆡ란아 너으 가장과아달을 너 본다시 만ᄂᆡ 보니 너으 얼골 ᄃᆡ면ᄒᆞᆫ 덧 더옥 슬푸도다언ᄌᆡ나 다시 볼고 강천이 막막ᄒᆞ니 기별인들 드를소냐 살앗슨들 어이 보며 쥭엇슨들 어이 알야 네 보ᄂᆡᆫ 비단 져고리ᄂᆞᆫ 너본다시 두고 본다 은봉ᄎᆡ 금봉ᄎᆡ와

P.132

옥지환 은즁도는 날 본다시 두고 보라 이번 인편의 이 편지가 막즉이오 영결이라 부듸부듸 잘 잇거라 할 말이 무궁ᄒᆞ나 익달다 엇지 할고 조히조히 잘 잇거라 ᄒᆞ엿더라 편지를 다 본 후의 골격이 녹아지고 흉격이 절노 막혀 가슴을 ᄯᅮ다리며 실셩통곡ᄒᆞ니 눈물이 우ᄉᆞ되야 옷기슬 적시고 편지를 적시더라 운학이 고 왈 어만님은 진정ᄒᆞ옵소셔 우리 각각 가셔 보니 오히려 다힝이라 ᄯᅩ 아반님을 만낫스니 무슴 한이 이스리요 아반임을 보아 슬품을 ᄎᆞᆷ으옵소셔 ᄒᆞ니 부인이 우럼을 긋치고 친졍 쇼식을 ᄌᆞ셰이 뭇더라 상셔 외당 손님을 젼별ᄒᆞ고 들어와 그간 고싱ᄒᆞ던 말을 무른 후의 빅운암 션싱이 노릐ᄒᆞ야 기별젼ᄒᆞ던 일을 말슴ᄒᆞ고 이상

P.133

히 너기며 쳔불암 부체님의 공으로 부인을 구ᄒᆞ야 살여ᄂᆡ던 ᄉᆞ연을 말슴ᄒᆞ며 층찬ᄒᆞ고 ᄯᅩ 빅운션싱이 최부인을 보닌 말이며 최부인이 장슈되야 젼장의 갓치 가 셩공ᄒᆞᆫ 후의 즁국 벼살ᄒᆞᆫ 말이며 ᄂᆡ종 여ᄌᆞ 쥴 알고 니공과 부부된 말이며 ᄯᅩ 두 부인이 벼살ᄒᆞ야 조부인은 좌부인을 봉ᄒᆞ고 최부인은 우부인을 봉ᄒᆞ야 직첩을 쥬시고 장계 비답ᄒᆞ심을 층찬ᄒᆞ시고 ᄯᅩ 가ᄉᆞ를 장만ᄒᆞ야 쥬시던 말이며 운학이 두 곤듸 장긔 드던 말이며 모다 ᄌᆞ셰이 셜화ᄒᆞ니 조부인이 젼후ᄉᆞ긔를 층찬ᄒᆞ며 왈 그러ᄒᆞ면 그 부인을 아니보게 ᄒᆞ시ᄂᆞᆫ잇가 우션 궁금ᄒᆞ외다 ᄒᆞ니 그 부모 듯고

질기시더라 그 집안 가ᄉᆞ와 젼답을 발ᄆᆡᄒᆞ야 또 서역국의 가장을 발

P.134

ᄆᆡᄒᆞ야 경셩으로 올나 가셔 각각 쳐소를 졍ᄒᆞ고 니공이 조부인으 고ᄉᆡᆼ홈과 부모님 고ᄉᆡᆼᄒᆞ던 말숨ᄒᆞ며 운학이 두 부인과 조부모님게 효셩으로 조셕진지와 의복 등졀을 갈셩ᄒᆞ며 범절을 지셩으로 효도로 ᄒᆞ고 나지면 국ᄉᆞ의 츙셩으로 극진히 밧들고 니공부부ᄂᆞᆫ 그 후원의 칠셩단을 무으고 ᄇᆡ운암 천불암을 두고 부체님게 지셩으로 츅원ᄒᆞ고 셔역국이 또 젼지ᄌᆞ손ᄒᆞ고 운학이 아달 칠형졔 두어 각각 금지옥당의 이스니 명망이 일국의 졔일이라 시화연풍의 ᄇᆡᆨ셩이 격양가를 일숨으니 셰상ᄉᆞ람이 다 효도와 츙셩을 극진ᄒᆞ고 마음을 지셩으로 지ᄂᆡ면 자연 이러할지라 부ᄃᆡ부ᄃᆡ 츙효를 일삼으소

〈김광순 소장 필사본 고소설 100선〉 제1차 연구진 소개

책임연구원 김광순, 경북대, 문학박사
연구원 김동협, 동국대, 문학박사
연구원 정병호, 경북대, 문학박사
연구원 신태수, 영남대, 문학박사
연구원 권영호, 영남대, 문학박사
연구원 강영숙, 경북대, 문학박사
연구원 백운용, 경북대, 박사과정수료
연구원 박진아, 경북대, 박사과정수료